GRAN
ANGULAR

Pomelo y limón

BEGOÑA ORO

Ilustraciones de Ricardo Cavolo

sm

PREMIO
GRAN
ANGULAR
2011

fundación sm

**La Fundación SM destina los beneficios
de las empresas SM a programas culturales
y educativos, con especial atención a los
colectivos más desfavorecidos.**

Si quieres saber más sobre los programas
de la Fundación SM, entra en
www.fundacion-sm.org

LITERATURA**SM**•COM

Primera edición: marzo de 2011
Decimoprimera edición: octubre de 2019

Gerencia editorial: Gabriel Brandariz
Coordinación editorial: Xohana Bastida y Alejandra González
Coordinación gráfica: Lara Peces

© del texto: Begoña Oro, 2011
© de las ilustraciones: Ricardo Cavolo, 2011
© Ediciones SM, 2011, 2018
Impresores, 2
Parque Empresarial Prado del Espino
28660 Boadilla del Monte (Madrid)
www.grupo-sm.com

ISBN: 978-84-9107-783-1
Depósito legal: M-19476-2018
Impreso en la UE / *Printed in EU*

Gracias a Ester Oro y Javier Prenafeta
por su aporte (tecnológico y vital).
Y gracias a Buitráguez por su soporte.

Hay maneras y maneras de conocer a los protagonistas de esta historia.

Una es visitando el blog de María:

http://pinillismos.blogspot.com

Allí podrás leer sus entradas y los comentarios de sus amigas.

Otra es buscándolos en las redes sociales. Ahí podrás leer «qué están pensando» ellos, sus amigos, sus rivales... Podrás seguir sus andanzas en el Maracaná, donde suelen ir los fines de semana. Podrás hacerte fan de la actriz Rebeca Lindon...

Pero la única forma de conocer su verdadera historia es leyendo estas páginas. Cada una de las palabras que aquí se han escrito se ha escogido para dar forma –esta forma y no otra– a esta historia tan única y tan común, la historia de *Pomelo y limón*.

Todas las penas pueden soportarse si se
meten en una historia o se cuenta una historia acerca de ellas.

ISAK DINESEN

MARTES

Querido Jorge:

Chico listo. Sabía que darías con la contraseña, con nuestra contraseña. Perdona que lo haga tan complicado, pero es que ya no sé en quién confiar. Estoy paranoica. Veo espías por todas partes. Hasta en la piscina. Son como cocodrilos. Están inmóviles durante horas, esperando. El agua está quieta. Hasta que de repente, un pequeño temblor en la superficie del agua y, ¡zas!, asoman sus ojos. Y lo peor no son sus ojos. Lo peor es lo que viene después: un chapoteo bestial y esa boca llena de dientes.

Ahora mismo no dejo de pensar que alguien podría estar leyendo esto.

Cuando me asomo a la ventana, me imagino que están mirándome, fotografiándome. Los que esconden las fotos en archivos bajo llave, los que no publican las fotos, los que controlan la conexión... Mis cocodrilos, los que rodean a mi madre.

Cuando salgo de casa, están los otros. Los que sí publican las fotos. Tus cocodrilos, los que persiguen a tu madre. Pero ellos no me fotografían. Entonces, ¿por qué tienen que apuntarme con la cámara como si fuera un arma? ¿No ven que me siento encañonada? Me dan ganas de rendirme.

–Dispara –le he dicho hoy a uno de ellos.

Él se ha apartado la cámara de la cara y me ha mirado. Creo que con pena.

Lo he dicho de corazón. Necesito que alguien dispare, que alguien haga algo.

Pero aquí nadie se atreve a disparar. Y eso es lo peor. Esta calma tensa, esta espera... ¿A qué? ¿A qué esperamos?

Necesito que ocurra algo.

María

PD1: Cuéntame qué dicen de nosotros.

PD2: No, mejor no.

1

Alguien ha hecho algo. Algo que va a cambiarlo todo. Alguien ha recogido las cartas que escribió María, los dibujos que hizo Jorge, y ha escrito su historia desde el principio, esta historia.

Esta historia es una campaña. Solo que es una campaña al revés.

Porque esta, al contrario que todas las campañas, se ha hecho para que dejen de hablar de ella. No es una campaña de publicidad. Es una campaña de privacidad.

Publicidad ya tienen suficiente. Hasta ahora todo el mundo ha hablado y ha oído hablar de algunos de sus personajes: de Jorge, de su madre, de la madre de María... Sería raro que tú no hubieras cotilleado algún día sobre ellos. Los has visto en la televisión, los has rastreado en internet, has visto sus fotos en las revistas, igual los has buscado en Facebook... Pero no creas que conoces su historia. Solo sabes algunos datos, y no todos son ciertos.

La historia, lo que hace que los datos tengan un sentido, no se había escrito hasta ahora. Cuando la leas dirás: «Aaah, claro». Porque esa es la misión de las historias: dar luz, hacer claros.

Imagina un bosque lleno de maleza. Esa es la realidad. También tu realidad. Y ahora ábrete paso, desbroza un camino, crea un claro en ese bosque, tu bosque, donde sentarte cómodamente a descansar. ¿Cómo? Cuenta la historia, desbroza a palabrazos la desordenada realidad. Crea un claro. Ese milagro produces cada vez que te cuentas la historia de tu vida. Y a ese milagro asistes cada vez que escuchas o lees una historia. Como ahora.

Querido Jorge:

No puedo estar sin ti. Me muero.

No creas que exagero. Es como la historia de la madreselva que nos contó la Perales. Seguro que no te enteraste bien. En ese momento estabas dibujando. Dibujándome. Fue la primera vez que me dibujaste como una reina, con corona y todo, como la protagonista de la historia.

Y la historia era esta:

El caballero Tristán y la bella Iseo estaban locamente enamorados. Pero Iseo había tenido que casarse con el rey, que era además el tío de Tristán. Cuando el rey se enteró de que su mujer y su sobrino Tristán se veían en secreto, lo expulsó del reino.

Un año entero estuvo Tristán viviendo en el bosque, huido. Veía una flor y le recordaba a Iseo. Llovía y la lluvia le recordaba a Iseo. Sé lo que es eso.

Hasta que un buen día, Tristán se enteró de que pronto pasarían por el bosque el rey y su comitiva. «El rey y su comitiva». Así le dijo un campesino. Y Tristán tradujo: «El rey y la reina. Iseo...».

Entonces Tristán cogió una rama de avellano y talló con su cuchillo este mensaje para su amada: «Iseo, tú y yo somos como la madreselva que se enrosca en el avellano. Juntos pueden vivir largos años, mas si alguien pretende separarlos, muere el avellano enseguida y la madre-selva también. Igual es nuestro destino: ni vos sin mí, ni yo sin vos».

Ni vos sin mí, ni yo sin vos.

ESE TRISTÁN DEBÍA DE SER UN GENIO HACIENDO CHULETAS. YO NO PODRÍA ESCRIBIR NADA NI PARECIDO, Y MENOS EN UNA RAMA. YA SABES QUE ESCRIBIR NO ES LO MÍO. PERO YO TAMBIÉN...

2

Esta historia, la historia de María y Jorge, no empezó siendo tan triste.

Suele suceder. Es la fórmula clásica de la narrativa: planteamiento, nudo, desenlace. Las historias empiezan bien, luego se complican y al final acaban... acaban como pueden.

Al principio de esta historia, antes de las cartas de María, antes de los dibujos de Jorge, no había cocodrilos. O quizá sí, pero estaban bajo el agua y no se los veía.

Al principio de esta historia, había un chico, una chica, una piscina y un camión de mudanza. Y una verja cubierta de enredadera.

MIÉRCOLES

¡Es increíble! ¿Sabes que tú me regalaste una madreselva?

Cuando se ha marchado Clara con mi mensaje para ti, he ido al salón y le he pedido a mi padre que me dejara buscar una cosa en internet. Tendrías que haberlo visto. Se ha puesto tenso como un gato y luego me ha dicho:

–¿Qué cosa?

–Una madreselva –le he contestado yo.

Me ha mirado con cara rara hasta que le he aclarado:

–Es para un trabajo de Literatura.

Entonces me ha mirado con una cara aún más rara. Y le he contado la historia que nos contó la Perales. Él ha escuchado como si fuera lo más interesante que había oído en su vida, incluso ha tomado unas notas en su libreta, para una campaña, según ha dicho, y hemos buscado juntos imágenes de una madreselva[1].

No te lo vas a creer. Resulta que esa especie de enredadera que crece en la urbanización, en la verja de Juan, ¡es una madreselva! Ahora ya no tiene flor. Tú le arrancaste la última y me la diste. Tienes que acordarte. Yo te dije: «Parece una araña» (en aquella época me hacía la dura). Y tú dijiste: «Es que lo es» (en aquella época te hacías el gracioso). Pero yo no la solté. Luego me la llevé a casa y la tuve encima de mi mesa hasta que se puso tan pocha que parecía de verdad una araña. Días después, tiré la flor a la basura. Qué rabia me da ahora. Solo de pensarlo, me da por llorar.

Que ahora mismo esté llorando por el cadáver de una flor con pinta de araña te dará una idea de mi desesperación. Me cuesta comer, respirar, vivir... Me estoy marchitando por momentos. Como la madreselva. Y ya sabes cómo acaba esa historia. Me muero sin ti.

En el fondo, para qué te voy a mentir, casi me consuela pensar que a ti te pasa igual.

---

[1] Enlace a ‹www.e-sm.net/madreselva›

No hago otra cosa que acariciar tu bufanda y mirar tu dibujo. Si al menos pudiera colgarlo... Lo imprimí y lo tengo escondido con todos los demás, dentro de la capucha del jersey blanco que tanto te gusta. ¿Lo ves? ¡Te tengo siempre en la cabeza!

Pero no me basta con eso. También necesito tenerte cerca. Necesito verte. Necesito ver algo más que tu silueta a contraluz en la ventana. Pero estoy encerrada en este castillo. Y entre tu ventana y la mía hoy hay un montón de niebla, y un foso lleno de cocodrilos.

María

DIN-DON. TRAIGO UNAS FLORES PARA LA SEÑORITA MARÍA PINILLA.

3

Al principio de esta historia, no había niebla. Al principio había un chico, una chica, una piscina y un camión de mudanza. Y una verja cubierta de pasionaria. Sí, María se equivocó. Lo que crece en la verja de Juan no es una madreselva sino una pasionaria. Pero las dos plantas tienen algo en común. Las dos –madreselva y pasionaria– tienen también una historia. Quién sabe cuál de las dos es más trágica. La de la madreselva, la de Tristán e Iseo, acaba en muerte, y la de la pasionaria[2] es la historia de otra pasión. Su flor tiene unos extraños filamentos puntiagudos, cinco estambres, tres estilos y doce pétalos. ¿Y dónde está la pasión? Durante cien años, nadie supo verla. Y la planta se llamó maracuyá, y su flor era solo una flor. Hasta que el papa Pablo V quiso ver el parecido entre esos filamentos y la corona de espinas que le pusieron a Jesucristo. Además, había cinco estambres, cinco, igual que el número de heridas en el cuerpo de Jesús; tres estilos, tres, como los tres clavos en la cruz donde murió, y doce pétalos, doce, como los doce apóstoles. Desde que aquel papa fabuló esta historia, desde que convirtió los estambres en heridas, los estilos en clavos, los pétalos en apóstoles, aquella flor se llamó pasionaria. Desde entonces, un clavel es un clavel, porque no tiene historia, pero una pasionaria es la muerte y resurrección de Jesucristo. Así una mirada sobre las cosas puede cambiar su historia, e incluso su nombre. Así un pétalo se convierte en un apóstol.

Claro que de todo esto, de Jesucristo, los apóstoles y la corona de espinas, Jorge no tenía mucha idea. María sí. Pero esa sería solo una de las diferencias entre María y Jorge.

---

[2] Enlace a <www.e-sm.net/pasionaria>

JUEVES

Querido Jorge:

Este verte sin verte me está matando. Estabas tan guapo esta mañana con ese jersey gris... ¿No sales de clase con dolor de espalda? Yo sí, de tanto inclinarme hacia un lado para esquivar la mole de Unai y verte mejor. Pero sería normal que a ti también te doliera. No sabes cómo te clavo los ojos. No miro otra cosa que tu espalda, tu cuello, tu pelo.

Los demás, la Perales, el Contreras, esa imbécil de Natalia... se creerán que nos vigilan. Estarán contentos de vernos tan lejos a la hora del recreo. ¡Ah! Pero ellos no pueden prohibir que nos miremos cada vez que nos cruzamos. ¡Y me dices tantas cosas con los ojos! Y eso es solo nuestro, solo nuestro.

Hoy me ha parecido que estabas triste. Muy triste y muy cansado. Supongo que las cosas no deben de ser fáciles para ti. Yo me quejo de no tener internet ni móvil, pero tú que sí tienes... No quiero ni imaginar lo que tendrás que leer y oír de ti y de mí, de tu madre, de la mía... No quiero imaginarlo, pero a veces no lo puedo evitar. Y no sé qué es peor. Tengo mucha imaginación.

Por eso no sé si quiero o no quiero que me cuentes, tú que serías el único que podría hacerlo. Los demás... La gente cuchichea a mi paso. Pero cuando me acerco se callan. ¿Cómo pueden pensar que no me doy cuenta? Y Clara no me dice nada. Me pasa tus mensajes, le paso yo los míos para ti y ya está. No hablamos de esto. No sé por qué, nosotras que hemos hablado siempre tanto de todo. Pero a mí no me sale. A ella tampoco. Por un lado, no querría hablar de otra cosa en todo el día. Por otro, no sabría cómo hacerlo sin echarme a llorar.

Solo puedo hablar contigo, aquí, y lloro mientras te escribo. Si esto fuera una carta, aquí tendrías varios manchurrones de tinta. Pero aquí solo ha caído una lágrima sobre la tecla de la J. Precisamente. Y no ha habido ningún cortocircuito. Este ordenador es impasible.

¿Y tú? ¿Quieres hablarme de esto? Sé que no te gusta hablar, ¿o es que no sabes cómo hacerlo? Podrías intentarlo. Igual te ayuda. Yo te escucharía. Soy toda oídos. ¡Ay! ¡Qué tonto me suena este ofrecimiento! ¡Si yo lo que quiero es abrazarte y que estemos juntos y...! Y todo lo demás.

También nos decimos cosas así, ¿verdad? Con abrazos... y todo lo demás.

Te quiero mucho.

Escucho tus dibujos.

María

PD1: Hoy he sonreído cada vez que te he visto. No creas por eso que no estoy triste. Creo que no se puede estar más triste que yo. Lo que sucede es que me pongo tan contenta al verte... Es solo eso.

PD: DESPUÉS DE PONERTE EL ENLACE, ME DI CUENTA DE QUE SIGUES CAS-
TIGADA SIN INTERNET. PERO NO HAS PODIDO OLVIDAR LA LETRA DE LA
CANCIÓN. NI EL DÍA QUE LA CANTAMOS EN EL KARAOKE. «CÓMO HABLAR
SI CADA PARTE DE MI MENTE ES TUYA. Y SI NO ENCUENTRO LA PALABRA
EXACTA...».

4

Al principio de esta historia, la historia de Jorge y María, era el final. El final del verano.

María bajó sola a la piscina con la toalla y un libro. Sus hermanos y su padre aún andaban en pijama. Su madre ya no estaba en casa. Su amiga Clara pasaba el fin de semana fuera. Nadie había bajado todavía. Era la hora ideal para tumbarse y pensar.

Y María tenía algo en que pensar. Clara acababa de regalarle un blog. Se lo había enviado por sorpresa, en un mensaje de correo electrónico:

De: Clara Luján

Para: María Pinilla

Asunto: Regalito

Pinilla, estoy harta de que me abrases con tus mensajes, tus teorías sentimentales, tus dudas amorosas y tus filosofadas.

¡Abrasa al mundo entero!

Y, junto al mensaje, la dirección de un blog. Casi vacío. Solo el nombre de María en los datos de perfil, una foto suya en el lateral, y la cabecera. «Pinillismos», se llamaba el blog. María aún no sabía sobre qué escribir para estrenarlo.

Extendió la toalla, dejó el libro al lado, se tumbó boca arriba, cerró los ojos, aspiró el olor de la hierba mojada, sintió la humedad del suelo abriéndose paso hacia su cuerpo y recibió como un regalo el calor de un sol aún tímido. Resultaba increíble que aquel sol fuera el mismo que, horas más tarde, haría escurrir por su cuerpo gotas de sudor. María pensó esto y se acordó de su madre. A veces también parecía mentira que esa cariñosa mujer que le daba el beso de buenos días fuera la misma persona que le gritaba algunas noches por la menor tontería. El día anterior, sin ir más lejos, por haberse olvidado de tender la toalla. ¿Podría escribir sobre eso? Una teoría sobre la metamorfosis de un hada en un ogro por obra y gracia de una toalla mojada. ¿Pero y si su madre lo encontraba y lo leía? Entonces supo lo primero que haría en su blog. No sería escribir. Sería borrar. Borraría su nombre y así escribiría lo que le diera la gana sin que nadie pudiera localizarla. ¿Y si cambiaba el nombre del blog? Bueno, tampoco era la única Pinilla del mundo...

Así estaba María, tumbada, con los ojos cerrados, pensando en la última bronca de su madre y el primer post de su blog, cuando oyó por primera vez la voz de Jorge.

—Esa caja ya la llevo yo, no se preocupe. Démela. Es muy frágil.

María se incorporó abriendo los ojos. El sol le dio de lleno en la cara y, durante unos segundos, solo vio pequeñas estrellas parpadeantes. Cuando por fin se acostumbró al sol, lo vio. Tan moreno. Un trozo de universo abriéndose paso entre tanta estrella. Y entonces decidió que su primer post trataría sobre otra cosa[4].

[4] Enlace a la entrada del blog «¿Existe el amor a primera vista?». <www.e-sm.net/amor>

VIERNES

Cuando te vi por primera vez, tú no me viste a mí. Yo estaba en la piscina y tú perseguías a uno de los de la mudanza. Querías cogerle una caja. Te ofreciste a ayudar y, entre tu torpeza y su extrañeza, la caja cayó al suelo.

Tú te pusiste blanco. Y el de la mudanza te miró con cara de pánico.

Yo aún no sabía quién era tu madre. Bueno, claro que sabía quién era tu madre. Todo el mundo sabe quién es tu madre. Quiero decir que yo no sabía que tú eras hijo suyo. Pero seguro que el hombre de la mudanza sí. Probablemente pensó que tú serías igual que ella. Se quedó quieto, aterrado, como esperando uno de sus famosos gritos.

Sin embargo, tú, aún pálido, con calma, cogiste la caja del suelo y fuiste hacia el portal ocho, mi portal. Al encontrar la puerta cerrada, volviste la cabeza. Miraste el reguero de cajas que, como las miguitas del cuento, marcaban claramente el camino desde la entrada hacia el portal seis, diste la vuelta y fuiste hasta allí abrazado a la caja. La puerta estaba abierta, pero aun así tropezaste con ella. Estuviste a punto de caer, pero te enderezaste a tiempo y luego desapareciste.

En ese momento supe dos cosas:

1. Que eras un desastre con patas

y 2. Que podía enamorarme de ti.

Recuerdo esto ahora porque en esa caja iba lo único que nos conecta en estos momentos: el ordenador y este pendrive con forma de llave. Echo tanto de menos hablar contigo...

De todas maneras, me estoy acostumbrando a escribirte largo y creo que ahora me costaría hacerlo de otra forma, con SMS. Lo mismo me pasó con tus besos. Cuando nos dimos el primer beso largo, supe que no había vuelta atrás. Desde aquella tarde en las escaleras de mi portal, sentados entre el primero y el segundo, ya no quise probar otra cosa. Adiós a esos piquitos que nos habíamos dado hasta entonces. Adiós, SKS. *Short Kissing Service*.

¿Te acuerdas de mi teoría sobre los besos[5]? Y pensar que hoy daría un ojo de la cara aunque solo fuera por uno de esos pequeños...

[5] Enlace a la entrada del blog «Besos». <www.e-sm.net/besos>

YO TAMBIÉN DARÍA UN OJO DE LA CARA POR UNO DE TUS BESOS. PERO QUIZÁ SEAN DEMASIADO CAROS.

5

La primera vez que María vio dar un beso a Jorge, no era ella la que estaba a escasos milímetros de su cara. Fue pocos días después de la mudanza.

Ya era de noche y María volvía de casa de Clara. De pronto, en el patio, vio dos sombras cerca de los chopos. Se acercó sigilosa sin que la vieran y reconoció a Jorge. Estaba con una chica. María aún no sabía quién era.

Era Raquel.

En ese momento, María vio cómo la distancia entre la cara de Jorge y de Raquel se acortaba como a cámara lenta. Cuando sus labios estaban a punto de rozarse, María quiso poder dar a STOP. Lo deseaba tanto que hasta hizo el gesto con el pulgar. El gesto de pulsar STOP.

Más tarde, mucho más tarde, la primera vez que María y Jorge se besaron largo, aquel día en el portal ocho, sentados entre el primero y el segundo, María no pudo evitar acordarse de aquella escena. Las caras de Jorge y María se acercaron muy lentamente y cuando estaban casi tocándose, María apretó el pulgar sobre el hombro de Jorge.

STOP. No, mejor dicho: PAUSE.

María se detuvo. Jorge también.

Se quedaron unos segundos con los labios a tres milímetros de distancia, rozándose la punta de la nariz, conteniendo el aliento primero, respirando despacio después. Respirándose el uno al otro.

A lo lejos se oyó pasar un avión. Parecía mentira que no se hubiera quedado parado en mitad del cielo. La Tierra entera tenía que dejar de girar. El universo debía detenerse en ese instante. Porque Jorge y María estaban a punto de besarse.

6

Siempre hay alguna parte de nosotros mismos que no está en lo que nos sucede. Ese pie que se mece mientras el resto del cuerpo se concentra en comer, o esos dedos que tamborilean mientras todo el cuerpo escucha. Pero aquella pausa sirvió para que cada parte de Jorge y María se concentrara en aquel beso. Fue como si, poco a poco, fueran llegando todos sus átomos, hasta los más rezagados. Entonces, cuando ya estaban todos ahí... PLAY.

El beso.

No hubo una sola parte de ellos que no estuviera ahí en ese momento, desde la pequeña cicatriz que tenía María en el tobillo hasta el lunar que tenía Jorge junto al ombligo. Cada parte de sí mismos estaba allí, en ese beso.

Hasta que llegó el escolta.

—Por favor, guárdame el secreto —suplicó María.

El escolta no dijo ni que sí ni que no.

7

Dije antes que las historias acaban como pueden.

No es así. Las historias acaban como su autor quiera que acaben. O al menos acaban donde su autor quiere, que casi viene a ser lo mismo.

Elige dónde pones el punto final y estarás eligiendo la historia. Cambia el final y cambiarás la historia. Mata a un personaje y se convertirá en un héroe. Déjalo vivir y tendrás un villano, un mártir... o un aburrido. El final lo cambia todo. Cambia hasta el principio.

No seas caradura, no pases las páginas, no busques la última. Es más difícil no buscarla ahora que lo he dicho, ¿verdad?

En vez de eso, piensa en *Caperucita*.

Una versión: el lobo se come a Caperucita. Punto final. Gana el lobo. Pierden las niñas insensatas. Moraleja:

> *La niña bonita, la que no lo sea,*
> *que a todas alcanza esta moraleja,*
> *mucho miedo, mucho, al lobo le tenga,*
> *que a veces es joven de buena presencia,*
> *de palabras dulces, de grandes promesas,*
> *tan pronto olvidadas como fueron hechas.*

Otra versión: el lobo se come a Caperucita, llega un cazador, saca a Caperucita de la barriga del lobo, se la llena de piedras y el lobo, que se despierta sediento, se ahoga en el río al ir a beber. Fin de la historia. Pierde el lobo. Gana Caperucita. Moraleja: es bueno tener amigos, sobre todo si son cazadores o leñadores.

O escritores.

Como yo.

Pero ¿quién soy yo y cómo quiero que acabe esta historia? No pienso revelarlo hasta que te pongas de mi parte.

Para eso, para que te pongas de mi parte, está escrita. Te lo dije: no es una novela, es una campaña.

Hasta entonces, me toca seguir recopilando las cartas de María, los dibujos de Jorge, y hablando en tercera persona. Tengo que seguir contando la historia de Jorge y María, y dejar que aparezcan los demás. Todos los de más.

SÁBADO

Querido Jorge:

Supongo que seguirás castigado sin salir. Si te sirve de consuelo, yo tampoco voy a salir hoy. No porque hayan cambiado de idea y me lo hayan prohibido como a ti. No, soy yo la que prefiere encerrarse en casa. Aún no puedo salir. Esos círculos que se abren a mi alrededor a cada paso que doy, con todos esos ojos clavados en mí... Me siento como una piedra rebotando en el agua. Ondas, ondas y más ondas concéntricas a mi alrededor. Todas se alejan, pero todas se concentran en mí. En mí, que nunca quise ser el centro de nada. ¿Cómo podría ir hoy al Maracaná?

¿Cómo podría volver a ese rincón? Solo podría hacerlo contigo. Necesito continuar donde lo dejamos. Puedo darte la localización exacta de cada parte del cuerpo, como un GPS. Sueño con ese momento. Estábamos a mitad de camino. Aún no podía decirse aquello de «ha llegado a su destino». Estas eran nuestras coordenadas: mi mano derecha estaba enredada en tu pelo, la izquierda bajaba por tu espalda, tu boca en mi cuello, la mía en tu oreja, tu mano derecha había empezado a trepar por mi cintura y tu mano izquierda había descubierto por fin el camino a través de la manga de mi blusa. Teníamos calor. Y hoy hace tanto frío...

Cómo me gustaría pensar solo en esto, en ti y en mí en el Maracaná. Pero, por más que intente apartarlos, otros recuerdos se empeñan en ocupar mi cabeza. Todo aquel ruido sobre ti y sobre mí y sobre cosas que no tenían nada que ver con nosotros dos... Ha sido como una lanza. Y esa lanza me ha abierto una herida que no se ha cerrado.

De verdad que intento olvidar. Intento no escuchar. Me lo están poniendo fácil en casa. Mis padres siguen a rajatabla la norma. En la puerta de entrada debería haber un cartel que dijera: «Prohibido el mundo exterior». Pero, aun así, de repente, cuando menos me lo espero, todo lo que han dicho, todo lo que han escrito –todo lo que he visto, todo lo que he oído, todo lo que he leído– y todo lo que me imagino que seguirán diciendo, aparece de pronto en medio de mi cerebro y ocupa todo el espacio. Palabras, palabras, palabras, palabras que forman una enorme bola que se expande por mi cabeza, que baja por mi garganta, la cierra y no deja pasar el aire a mis pulmones. Las palabras hacen que todo vuelva a ser real, la bola en mi garganta también se hace real y entonces ya no puedo respirar. ¿Sabes qué hago entonces, cuando estoy a punto de ahogarme? Entonces digo tu nombre. Muchas veces. En voz baja, porque al principio casi ni me sale la voz. Jorge, Jorge, Jorge, Jorge, Jorge... Como tú cuando escribiste María, María, María, María... Te vas a reír, pero tengo una teoría: si piensas mucho en una persona que te quiere (esta teoría solo vale con personas que te quieren), esa persona lo nota. Entonces, cuando te pienso y te nombro, pienso que tú me piensas, y la bola se disuelve y el aire vuelve a circular. Pero sé que solo es un apaño, que la bola de palabras volverá. Y con las palabras, volverá todo. La rabia, la vergüenza, la pena... Mientras tanto, sobrevivo. Aunque sé que esto es como la chistera del mago: puedes fingir que no hay nada dentro, pero sabes que ahí, tras un pañuelo blanco, está latiendo una paloma. Y puede salir en cualquier momento.

Con una gran diferencia. Lo que sale de esta maldita chistera no es una paloma. Es un buitre. Huele la sangre de mi herida abierta. Sale de vez en cuando, como por arte de magia, y la picotea un poco.

Así no me va a cicatrizar nunca.

ME HA ESCRITO MI PADRE. ÉL DICE QUE ESTO ES COMO UNA BORRASCA, QUE HAY QUE AGUANTAR EL CHAPARRÓN, PERO QUE PRONTO PASARÁ. OJALÁ TENGA RAZÓN. MIENTRAS TANTO, ¿NOS CURAMOS?

Al menos yo intentaré ir en orden. El comienzo ya lo sabes: María y Jorge en la piscina. El final está por ver. En medio...

En medio, siempre en medio, estaba Clara, la buena de Clara. Aunque al principio no. Cuando Clara llegó el domingo por la tarde, María ya se había cruzado con Jorge cuatro veces.

La primera, cuando Jorge protagonizó su particular versión de *Pulgarcito* con las cajas de mudanza.

La segunda fue media hora después –el tiempo que tardó Jorge en encontrar un traje de baño entre tanta caja–, de nuevo en la piscina. Jorge bajó a darse un baño. Llegó descalzo, sin hacer ruido, y María, que leía tumbada boca abajo, ni se dio cuenta. Pero de pronto, el sonido limpio de una perfecta zambullida de cabeza le hizo levantar la vista del libro.

Ahí estaba. Bajo el agua. Un cuerpo. Su cuerpo.

DOMINGO

Querido Jorge:

Estoy contigo a cada momento. Me acompañas a todas partes. No hago otra cosa que pensarte. Y sin embargo, estando como estás constantemente en mis pensamientos, te echo tanto de menos... Porque no estás, claro. Me faltas, como un brazo a un manco. Extraño todo de ti: tu risa, tu olor a pomelo, tus gracias, tu mirada, todo tu cuerpo. Tu cuerpo...

Recuerdo cuando te vi buceando por primera vez. Tu cabeza, tus brazos, tu espalda, tu traje de baño rojo, tus piernas. Te veía cruzar la piscina bajo el agua y era como si viera por primera vez un ser humano. Entonces pensé: «¿Es este el cuerpo del que podría enamorarme? ¿Por qué? Si no tiene escamas». Es absurdo, lo sé. Pensamientos de sirena. En ese momento, se me ocurrió cuál sería la segunda entrada del blog, el cuerpo[6]. Y entonces llegaste al final de la piscina, sacaste la cabeza del agua y lo primero que hiciste fue girarte hacia mí.

Sabías que estaba ahí. Tú sí me habías visto al llegar, seguro. Y por eso me buscaste.

Nos miramos. ¿Te acuerdas?

Solo duró un segundo. Puede que menos. Al momento, bajé otra vez la vista al libro. Me puse tan nerviosa que me tumbé con la cara apoyada sobre los brazos, y luego giré la cabeza hacia el otro lado, bajé los brazos para colocarme mejor el bikini, doblé la rodilla y subí una pierna (intentaba que se viera más delgada), volví a subir los brazos, me solté la goma del pelo, volví a girar la cara y te miré de reojo. Tú seguías ahí, mirándome. Cerré los ojos. Sentí que me habías pillado in fraganti. Luego pensé que era absurdo. Sí, te estaba mirando. Pero ¿acaso no me estabas mirando también tú a mí? Con los ojos cerrados, imaginé que te veía a través de los párpados. De pronto me di cuenta de que te estaba dando ventaja. Estaba dejando que tú me examinaras sin pagar el peaje de pasar vergüenza. Y decidí que la próxima vez no sería así. La próxima vez no bajaría la cabeza. Te miraría.

Hoy tampoco tengo ganas de salir de casa. Me quedaré aquí, en la ventana. Mirándote.

---

[6] Enlace a la entrada del blog «The body». ‹www.e-sm.net/thebody›

CLARO QUE TE MIRABA EN LA PISCINA. MIRA CÓMO TE MIRABA. (Y SI SU-
PIERAS LO PARECIDO QUE HA SIDO DIBUJARTE A ACARICIARTE. EL LÁPIZ
POR TU CUERPO...).

La tercera vez que Jorge y María se vieron fue esa misma tarde en la entrada de la urbanización.

Jorge entraba, María salía, y su corazón casi se salió también al ver a Jorge de frente. Se arrepintió de llevar aquella camiseta. Y pensar que hacía unos minutos había estado a punto de ponerse el vestido blanco... Se animó pensando que, por lo menos, acababa de echarse colonia. Y esta vez no bajó la cabeza.

Jorge la miró con media sonrisa y aquello fue como el disparo que anuncia el comienzo de un juego.

«Está bien, juguemos», pensó María, y clavó los ojos en los suyos como si fueran crampones. «No tengo miedo de mirarte. ¿Lo tendrás tú?», decían los ojos de María, retadores.

Sin necesidad de explicarlas, los dos comprendieron las sencillas reglas del juego. En realidad, solo había una: el primero que retire la mirada, pierde.

Jorge se concentró en las pupilas de María y redujo el paso. María se quedó prácticamente quieta junto a la puerta.

Parecía un duelo silencioso. Como única arma, la mirada. Ninguno de los dos sabía que, más tarde, ese duelo acabaría siendo un entrenamiento para la única forma de comunicarse.

Pero entonces alguien más irrumpió en la escena. Era Edgar, que salía del cuarto de mantenimiento. Ya tenían juez para el duelo.

—Buenos días, María —dijo Edgar mecánicamente.

Pero María no cayó en la trampa. No estaba dispuesta a dejarse ganar tan fácilmente. Sin mirar a Edgar, con la vista aún fija en Jorge, dijo sonriendo y dando un paso:

—Buenos días, Edgar.

Jorge y María siguieron andando a cámara lenta ante Edgar, con las pupilas del uno clavadas en las del otro. Cuando por fin se cruzaron, Jorge sonrió triunfal.

—Adiós, María —dijo con una voz tan tímida que casi desmentía su victoria.

Al darse la espalda, los dos sonreían.

Ahora los dos sabían cómo sonaban sus voces y cómo olían sus cuerpos. María a limón, Jorge a pomelo. María además había identificado qué era aquello que le resultaba vagamente familiar en Jorge: la forma de su boca, tan parecida a la suya propia. «Boca de mono», como le decía Nicolás, su hermano pequeño, cuando quería hacerle rabiar.

En todo ese tiempo, ninguno de los dos había dejado de mirarse fijamente. Pero no había empate en este duelo. Había un ganador, y ese era Jorge. Ahora él sabía algo de María que ella ignoraba de él: su nombre.

Cuando se alejaron en sentidos opuestos, Edgar se apoyó en la escoba, suspiró y meneó la cabeza sonriendo.

Él fue el primero que supo. Y el último que habló. No hay discreción más intrínseca que la de los porteros. Por mucho que digan.

DOMINGO

Perdona que te escriba otra vez, pero no puedo dejar de hacerlo. Es la única forma que me queda de estar contigo.

¿Sabes? Cuando empezamos a comunicarnos así, mandándonos estos mensajes a través de Clara, sentí tanto alivio... Creía que me estaba muriendo, y esto fue como ponerme oxígeno. Vida artificial, pero vida al fin y al cabo. Porque puedo pasar sin el messenger, puedo pasar sin el blog. Pero no puedo pasar sin hablar contigo. Y necesito hacerlo «a solas». Si no, me muero. Ya sabes: ni vos sin mí, ni yo sin vos.

Por otro lado, no dejo de pensar que, de alguna forma, alguien podría leernos. A pesar de la contraseña del pendrive, a pesar de que no nos lo enviemos por internet, a pesar de que yo no llegue a guardar los archivos en mi ordenador... Esta gente es muy buena. No hablo de los de la puerta. Hablo de los cocodrilos de mi madre. Apuesto a que podrían conseguir la información que se propusieran. Pero ¿acaso pueden meterse dentro de mi cabeza? Como mucho, podrían meterse dentro de mi capucha, descubrir tus dibujos. Pero dudo que comprendieran nada.

Sin embargo, pienso en Óscar, el escolta de mi madre. Es un buen tío. ¿Y si alguien como él leyera esto? ¿Y si realmente pudiera meterse dentro de mi cabeza? (¿Leer esto no es lo más parecido a meterse en mi cabeza?). Y si lo hiciera, ¿no pensaría que es injusto todo esto que nos pasa? ¿No diría: «Vamos, ocupémonos de algo más importante; dejen en paz a estos chicos, que solo quieren quererse, y eso no se lo podemos prohibir»?

Ay, no sé. A veces tengo la sensación de que todos esos que nos miran por encima del hombro, esos que nos toman por críos, esos que se dicen adultos, no entienden nada. Seguro que tu hermana Ingrid nos entiende mucho mejor.

Le doy esto a Clara a todo correr antes de que se vaya.

Pienso en ti cada instante. Este instante. Y este. Y este también. Y este. Y este otro... Y en esos puntos suspensivos también. Ay, no puedo parar de escribirte. Pero paro. Ya. De una vez. Te lo prometo. Me lo juro. Por mi abuela.

La cuarta vez que Jorge y María se vieron, poco antes de que Clara entrara en acción, ya no fue por casualidad. Se estaban buscando.

Durante todo aquel lluvioso domingo, Jorge y María se buscaron por las ventanas de sus respectivas casas. Se inventaron decenas de excusas para asomarse. ¿Sigue lloviendo? ¿Se ha formado charco en la entrada? ¿Alguien se ha olvidado algo en la piscina? ¿Vienen más nubes? ¿Ha salido el sol? ¿Saldrá el arco iris? ¿Llueve más fuerte? ¿Están jugando los niños en el soportal?

Esta vez María jugaba con ventaja. Sabía en qué portal vivía Jorge: el seis. Su búsqueda era más precisa y también más aburrida. Aquella tarde llegó a conocer de memoria cada maceta, cada cortina y cada peculiaridad de la fachada.

Lluvia y más lluvia era lo que veían cuando se asomaban. Lo intentaron desde todas las ventanas de la casa, mirando a derecha e izquierda, buscando nuevos ángulos.

Se asomaba María cuando Jorge hacía un minuto que se había retirado de su ventana. María se retiraba y cinco minutos después aparecía Jorge.

Durante horas estuvieron jugando al gato y al ratón, hasta que por fin coincidieron.

Fue gracias a un trueno. Nada más sonar, los dos supieron que esta vez iban a encontrarse. La tormenta los había convocado.

Y así fue. Se asomó Jorge. Se asomó María. Se buscaron y se encontraron. Se estuvieron mirando de ventana a ventana, de cuarto a segundo, durante tres minutos.

Prueba ahora a contar hasta ciento ochenta. Uno dos tres cuatro cinco seis siete ocho nueve diez once doce trece catorce quince dieciséis diecisiete dieciocho diecinueve veinte...

En tres minutos sobra tiempo para enamorarse.

Y habrían sido más si no fuera porque en aquel momento sonó el móvil de Jorge.

Era Raquel.

Cuando Jorge desapareció de la ventana para contestar la llamada de Raquel, María sintió una punzada en el estómago. Ya sola, no pudo evitar levantar la mano. Solo la lluvia recibió su gesto. Una muda despidiendo a un sordo.

Cinco minutos después, sonó el interfono.

Era Clara, que había vuelto de pasar el fin de semana con su padre.

–¿Está María? –preguntó a Javier, el hermano mediano de María, cuando él le abrió la puerta.

Dos segundos después, Clara entraba como un ciclón en el cuarto de su amiga y decía como saludo:

–¡Pinilla! ¡¡A que no sabes quién ha venido a vivir a la urbanización!!

–Pues, ahora que lo dices –dijo María midiendo sus palabras–, he visto a un chico...

–¿Un chico? ¿Qué chico? No te enteras de nada –cortó Clara–. ¡Rebeca Lindon! ¡¡Rebeca Lindon!!

–¿La actriz?

–Pues claro. ¿Conoces otra Rebeca Lindon? ¿Lo sabe tu madre?

–¿Mi madre?

–Ya verás cuando se entere.

–¿Por qué lo dices?

–¿Estás tonta o qué? ¡Rebeca Lindon! ¿No te acuerdas del pollo que montó antes de las elecciones con todo lo que dijo del partido de tu madre? –preguntó Clara.

María frunció el ceño.

–Ahora que lo dices...

Clara asintió y siguió haciéndolo mientras susurraba:

–Rebeca Lindon, tía. Y en nuestra urbanización. Esto va a ser la bomba.

No sabía Clara hasta qué punto iba a serlo. La bomba.

De pronto, recordó lo que había dicho María:

–Oye, y... ¿qué decías de no sé qué chico? Ah, y otra cosa. ¡No me habías dicho que habías estrenado el blog! Si no lo miro... Pues que sepas que ya he puesto el primer comentario. ¿Qué tal el fin de semana? –siguió Clara, imparable–. ¿Has ido al Maracaná? Ya vi en Facebook que había fiesta hawaiana... Rebeca Lindon, tía...

12

A más de dos mil kilómetros de María pero a un solo clic de ratón, al mismo tiempo pero una hora antes, Yaiza hablaba con Isabel en su habitación.

–¿Yo qué culpa tengo? –decía Yaiza–. Ya sé que está saliendo con Sol, pero no puedo dejar de pensar en él. Todo me lo recuerda. No puedo hacer nada para evitarlo. Es como si el mundo fuera una sucursal suya.

–¿Una sucursal? –preguntó Isabel–. ¿Qué dices?

–Lo he leído en un blog. Espera.

Yaiza se volvió al ordenador y empezó a minimizar pantallas.

–Llegué de casualidad –se justificó mientras movía el ratón.

–A saber qué estarías buscando.

Yaiza sonrió.

–Pues... algo así como: Sol, cretino integral, dudas amorosas. Estaba practicando los métodos de búsqueda del González.

Isabel meneó la cabeza.

–¡Espera! ¡Ya está! Lee.

–¿Pinillismos? ¿Qué es esto?

–Tú lee.

–«El amor a primera vista es como mirar al Sol fijamente». ¡El Sol! ¡Pero aquí se refiere a esa cosa grande que está en el cielo y da luz y calor, no a esa rubia repelente que sale con tu querido Marcos! –exclamó Isabel.

–Ya, da igual. Tú sigue leyendo.

Isabel volvió a empezar:

–«El amor a primera vista es como mirar al Sol fijamente. Después de hacerlo, es imposible ver otra cosa que un montón de estrellitas brillantes, como pequeñas sucursales del Sol. Pues cuando ves a alguien del que te enamoras a primera vista, pasa igual. Desde la primera vez que ves a esa persona, ya no ves otra cosa. Todo te hace pensar en ella. El mundo es una sucursal de él». Aaah, ya.

Isabel siguió leyendo en silencio.

–Pues qué quieres que te diga. Yo soy más de la opinión de la Clara esa.

–¿Quién es Clara?

–Una que ha puesto un comentario. Escucha: «Y mi opinión es... el amor a primera vista existe, igual que existen las bombas de neutrones, los cables de alta tensión y otras cosas que provocan una muerte segura. ¿Qué hacer para evitarlo? ¡Mira para otro lado, bonita! O ponte gafas de sol...».

Yaiza se echó a reír.

–¡Es como si lo hubieras escrito tú!

Isabel sonrió, se quitó sus gafas de sol y se las colocó a Yaiza.

–Ya sabes, «bonita». Ponte gafas de sol.

PUES SÍ, MARÍA. YA LO DICE EL PRINCIPITO: «LAS PERSONAS MAYORES NUNCA SON CAPACES DE COMPRENDER LAS COSAS POR SÍ MISMAS, Y ES MUY ABURRIDO PARA LOS NIÑOS TENER QUE DARLES UNA Y OTRA VEZ EXPLICACIONES».

¡AY, MARÍA!, SI NO TUVIÉSEMOS QUE DAR EXPLICACIONES, SI NOS DEJASEN «A SOLAS»...

13

Si yo fuera la madre de María, si yo fuera Candela Brines, esta escena no estaría tan llena de silencios. En lugar de eso, bullirían los pensamientos, los miedos, las dudas y, sobre todo, los recuerdos... Pero como no lo soy, y aún es pronto para que lo averigües, tendrás que conformarte con verlo así:

Aquel domingo por la noche, a la hora de cenar, María soltó la bomba en casa.

–¿Sabéis quién ha venido a vivir a la urbanización?

Teo y Candela, los padres de María, negaron con la cabeza mientras sus hermanos exclamaban:

–¡¡Rebeca Lindon!!

–Eso lo sabe todo el mundo –apostilló Javier.

–¿Rebeca Lindon? –repitió incrédula Candela.

–Todo el mundo... menos mamá –dijo Nicolás.

María ya temía que la noticia le sentaría mal a su madre. Al fin y al cabo, Candela era diputada, y durante la última campaña electoral, Rebeca Lindon había apoyado al partido de la oposición y había atacado duramente al jefe de Candela. Pero María no esperaba que le sentara tan mal. Candela se puso blanca y empezó a repetir mirando a su marido:

–Rebeca Lindon Rebeca Lindon Rebeca Lindon... Teo... Re-be-ca Lin-don.

El padre de María, Teo, cerró los ojos muy despacio, respiró fuerte, abrió los ojos, dejó el tenedor sobre el plato y preguntó, casi en un susurro:

–¿Ha venido con sus dos hijos?

–¿Dos hijos? –preguntó Javier–. Si solo tiene una niña. ¿Cómo se llamaba?

–Ingrid –apuntó María–. Es monísima. ¿No os acordáis de las fotos esas de cuando fueron a Eurodisney? Salieron en todas las revistas.

–¿Lo ves, papá? Pichi y Rebeca Lindon solo tienen una niña.

–Sí –respondió–. Pichi y Rebeca Lindon.

–¿Entonces? –insistió Javier–. Tú has hablado de dos hijos.

–Mmm, sí –contestó su padre sin ganas–. Hay un chico de un matrimonio anterior.

María se quedó paralizada, con el trozo de pollo a la altura de la boca.

–¿Un chico?

Teo asintió.

–¿Qué edad tiene? –preguntó María al instante.

–Más o menos la tuya. Creo –dijo Teo.

María se sonrojó.

–¿Y quién es su padre?

Teo miró a Candela. Candela miró a Teo. Tras un silencio, Candela dijo:

–Eeeh... Berto Zaera.

–¿Berto Zaera? –preguntó Nicolás–. ¿Quién es ese?

–Uno que escribe en la prensa –murmuró Teo.

–¿Del corazón? –preguntó Javier.

Teo miró a Candela esperando que ella respondiera. Pero Candela estaba muda.

–Económica –dijo Teo.

–Vaya rollo –refunfuñó Javier–. ¿Y qué hace el marido de Rebeca Lindon, el Pichi ese?

Candela no pudo más y gritó más de lo que sería de esperar:

–¡¿Es que no va a haber otro tema de conversación a partir de ahora que Rebeca Lindon?!

Se hizo un incómodo silencio. El primero de muchos incómodos silencios.

Teo y Candela siguieron comiendo sin decir palabra. Y Javier, Nicolás y María siguieron hablando de Rebeca Lindon. Como el resto de habitantes de la urbanización aquella noche y todas las noches siguientes.

Ayer en misa hablaron de lo de la serpiente que tienta a Eva para que coma el fruto prohibido. Apuesto a que tú te creías que era una manzana. Mucha gente lo cree. Pues no, en ningún sitio pone que fuera una manzana: era el fruto del árbol del conocimiento del bien y del mal. El árbol de la ciencia, que dicen algunos.

Yo, que todo lo interpreto en clave «Jorge y María», ¡hasta lo que dicen en misa!, me he quedado pensando en las cosas que ahora sé, en lo que se ha dicho sobre nosotros, y me he dado cuenta de que hay cosas que es mejor ignorar. Ahora que sé más de lo que quisiera, ahora que he leído y oído más de lo que puedo soportar, me gustaría volver atrás. Pero es imposible. Nos han sacado del paraíso para siempre, y si quisiéramos volver nos encontraríamos una espada de fuego. Una vez que sabes, no puedes dejar de saber. A menos que te des un golpe en la cabeza, pero no tengo ninguna intención de probarlo.

Aun así, hoy estoy más optimista. ¿Me lo parece a mí o hay menos reporteros ahora? Estos días pasados, cuando salía, me encontraba una nube entera. Hoy solo he visto tres. ¿Será que por fin el mundo se olvida de nosotros? ¿Será verdad lo que te dijo tu padre, que esto era como una borrasca, que había que aguantar el chaparrón pero que luego pasaría? ¡Pero si hoy hasta hace sol! ¡Por fin un día sin niebla! Tengo una teoría sobre el tiempo: es más fácil que pasen cosas buenas con sol y cosas malas con lluvia. No es por arte de magia. Es porque a la gente le afecta, y si todo el mundo está de buen humor, lo normal es que pasen cosas buenas.

¡Ay, Jorge! Empiezo a ver el final. ¡Y es un final feliz!

PD: Con el calor que hace hoy, y sigo con tu bufanda roja enroscada al cuello. ¡Aún huele a ti!

Una recta es una recta, pero según lo que tenga al lado puede llegar a parecer otra cosa. De hecho, si ves unas rectas acompañadas de bloques negros salteados, jurarás que lo que tienes delante no son rectas sino curvas. Así son las ilusiones ópticas[7].

Jorge era Jorge. Jorge era tímido, y un desastre con patas, y alguien de quien María podría enamorarse. Pero desde que a Jorge lo acompañó el apellido Lindon, Jorge pareció otro a los ojos de María.

Por lo pronto, alguien más inalcanzable.

De haber sabido antes quién era su madre, María habría sido incapaz de enfrentarse a él como lo hizo en la entrada, pupila contra pupila, o de buscarlo en la ventana. Hasta se avergonzaba un poco de lo sucedido.

–¿Cómo he podido? –le decía a Clara–. ¡Con el hijo de Rebeca Lindon!

–Pero tú no sabías nada –respondía Clara–. Además, piénsalo, Pinilla, ¿qué cambia eso? A ti te ha gustado ese chico y ya está. Qué importa quién sea su madre.

–Para empezar, ¿te he dicho yo que me gustara ese chico?

–No hace falta que lo digas –la interrumpió Clara.

–Y para seguir, ¿cómo que no importa quién sea su madre? No importaría si su madre fuera Pepita Pérez. ¡Pero su madre es Rebeca Lindon!

–Bueno, vale –admitió Clara–. ¡Pues mejor todavía!

María se quedó en silencio. Era incapaz de saber, o admitir, si ahora Jorge le gustaba menos o aún más. Pero algo había cambiado. Las rectas eran curvas. Leves curvas, de momento. O, por lo menos, eso parecía.

---

[7] Enlace a <www.e-sm.net/ilusiones>

Durante la semana siguiente, antes de que empezaran las clases, María se cruzó cinco veces más con Jorge. Cuatro de ellas coincidieron en la piscina, y las cuatro María estaba con Clara.

En aquellas ocasiones, los cuerpos de Jorge y María se cruzaban en la piscina. Sincronizaban sus largos de forma aparentemente casual. Cuando Jorge salía de un extremo, María salía del otro. En el centro de la piscina, a veces, solo a veces, se miraban de reojo. Jorge solía llegar un poco antes, y aprovechaba la ventaja para ver cómo María daba la última brazada.

En realidad, a Jorge le aburría nadar. En realidad, María hizo en cuatro días más largos que en todo el verano. En su muro de Facebook escribió: «¿Se pueden tener agujetas de nadar?». Unai le respondió: «Eso son AGUAJETAS:))))».

Eran un par de impostores braceando. Y Clara los miraba divertida desde el borde de la piscina.

Una vez María hizo un largo de espaldas mientras, de frente, Jorge avanzaba a crol. Cuando estaban casi en mitad de la piscina, el brazo de María chocó con el de Jorge.

—Perdón —musitó Jorge.

María sonrió. Le quemaba el brazo.

La otra vez que más llegaron a aproximarse fue una ocasión en la que los dos se tiraron de cabeza y recorrieron la piscina buceando. Ahí, bajo el agua, se miraron con el descaro inocente de los peces y la ensoñación de las sirenas. Cuando sus cabezas salieron a la superficie, los dos estaban sin aliento.

En todo ese tiempo, lo único que se cruzaban eran sus miradas y sus cuerpos de falsos nadadores. Ni una palabra.

Ni siquiera Clara se atrevió a romper el hielo. El recuerdo de Rebeca Lindon le congelaba el «¿Llevas hora?» en la garganta cada vez que iba a acercarse a él a preguntar. Tampoco habían podido averiguar su nombre, ni buscando en internet. En el buzón no figuraba. Todo en torno al hijo mayor de Rebeca Lindon estaba envuelto en el misterio. Solo podían deducir que se apellidaba Zaera.

–Edgar –preguntó una tarde Clara al portero–, ¿tú no sabrás cómo se llama el hijo de Rebeca Lindon?

–No –mintió Edgar, tan discreto como siempre.

–Vale, gracias.

El día anterior al comienzo del curso, María volvió a ver a Jorge. Esta vez ella iba sola. Esta vez él no. Estaba con Raquel. Fue cuando María los vio besarse entre los chopos.

Entró en casa dando un portazo.

–Ya está María contra el mundo –dijo su hermano Javier al verla pasar con cara de rabia.

María se encerró en su cuarto y cogió el móvil para contárselo a Clara, pero lo dejó. No tenía ganas de hablar. Solo tenía ganas de dar patadas y de escribir. Y eso es lo que hizo. Dio una patada a una zapatilla, se sentó ante el ordenador y escribió[8].

---

[8] Enlace a la entrada del blog «¿Tengo derecho a sentir celos?». <www.e-sm.net/celos>

A más de dos mil kilómetros de María, Yaiza sonrió. Acababa de leer la nueva entrada de Pinillismos. Y la pregunta que hacía allí María era la misma que se hacía ella: ¿tenía derecho a sentir celos?

«¿Alguna vez has deseado estrangular al chico que te gusta? ¿Y si lo vieras con otra? Y en ese caso, ¿a quién sentirías más deseos de estrangular: a la persona que te gusta o a quien está con esa persona?», leyó Yaiza en el blog de María. Y un poco más abajo: «Voy a abrir un bote de helado. Otra duda: ¿por qué los celos dan hambre? ¿O es solo a mí?».

Y las respuestas de Yaiza a las preguntas de María eran:

1. *¿Alguna vez has deseado estrangular al chico que te gusta?* No, hasta que lo vi con Sol.

2. *¿Y si lo vieras con otra?* ¡Justo!

3. *¿A quién sentirías más deseos de estrangular: a la persona que te gusta o a quien está con esa persona?* A él. Al fin y al cabo, estrangular ¿no es abrazar muy fuerte, muy fuerte?

4. *¿Por qué los celos dan hambre? ¿O es solo a mí?* ¡No sé por qué! Pero a mí también me pasa.

Y entonces fue a Yaiza a quien se le ocurrió una nueva pregunta. Una pregunta que no tenía que ver con los celos, ni con Sol, ni con los deseos de abrazar a alguien hasta la asfixia, ni con la ansiedad y el hambre... Y la pregunta era: ¿cómo puede ser que una desconocida, en algún lugar, esté escribiendo mi historia con las mismas palabras con que yo lo haría?

Y se fue a comer un helado.

El primer día de clase, María se sentó en la última fila, entre Sandra y Álex.

Apenas llevaban diez minutos con Pedro Contreras, el que iba a ser su tutor ese curso, cuando entró el director:

—Atención, voy a presentarles a un nuevo alumno —empezó diciendo—. Quiero que lo traten como a uno más, con respeto y cordialidad. Se llama Jorge Zaera. Puedes sentarte, Jorge —dijo indicándole un sitio libre en la primera fila, alineado con el de María.

Mientras el director hablaba, Jorge apenas levantó la vista de la punta de sus zapatillas. Cuando lo hizo, echó un vistazo general a la clase. Instintivamente, María se arrebujó y quedó oculta tras el corpachón de Unai, que se sentaba delante. El director se fue y se quedaron con el tutor. María apenas prestó atención a lo que les dijo durante el resto de la clase.

Desde su escondite, observaba cada movimiento de Jorge. En un momento dado, vio cómo pedía un bolígrafo a su compañera de al lado.

«Increíble», pensó María. «Realmente es un despiste con patas. Primer día de clase y no trae un bolígrafo».

Estaba deseando salir disparada a la clase de al lado y contárselo, antes que a nadie, a Clara. Por eso, en cuanto acabó la clase, no esperó a Magda y se fue directa hacia la puerta intentando que Jorge no la viera. Era absurdo. Tarde o temprano, se verían. Y fue temprano.

18

Cuando Jorge se giró y vio a María en su clase, camino de la puerta, no la miró igual que lo había hecho en su duelo silencioso, ni tampoco como en la piscina. La miró como quien ve un fantasma.

–María –dijo con un hilo de voz–. Ho... hola.

–Hola –respondió María, sorprendida de oír su nombre en boca de él.

–No sabía que estudiabas aquí.

–Yo tampoco.

–¿No sabías que estudiabas aquí?

–Eeeh... Sí, claro. Pero no sabía que tú estudiabas aquí.

–Es que yo no estudiaba aquí.

–¿No?

–No –dijo Jorge sonriendo–. Soy nuevo.

Sus compañeros iban pasando a su lado. Magda los miró extrañada e hizo un gesto a María señalando el pasillo. María echó a volar los dedos de la mano derecha como diciendo que se fuera.

–Eeeh... esto... quería pedirte un favor –dijo Jorge casi en un susurro.

María enarcó las cejas.

–¿Tú...? ¿Tú sabes quién es mi madre?

–Claro. Todo el mundo lo sabe –contestó María recordando las palabras de su hermano Javier.

–Sí, ya. Pero aquí nadie sabe que soy hijo suyo –dijo Jorge.

–¿Y?

–Que es mejor así.

–¿Por?

María se sentía un poco tonta preguntando monosílabos.

–Prefiero que no se enteren.

–Ya –dijo María sin acabar de entender.

La clase se había quedado vacía, y la cara de Clara asomó por el marco de la puerta.

Se quedó de piedra al verlos y ahogó un grito:

–¡Zaera!

Jorge no tardó en reconocer a Clara como la chica que siempre acompañaba a María en la piscina de la urbanización.

–Ah, hola...

–Clara, soy Clara Luján –aclaró, claro, Clara–. ¿Y tú?

–Jorge.

–Zaera –dijo Clara.

–Sí, Jorge Zaera –dijo Jorge extrañado–. Esto... Acababa de pedirle a María...

Jorge convenció también a Clara para que no dijera nada sobre su madre. Hizo bien en adelantarse, porque, en cuanto salieron al recreo, Magda y Nerea sometieron a María y a Clara a un interrogatorio.

–¿Qué hacíais hablando con el nuevo?

María y Clara se miraron.

–No os lo vais a creer... –empezó Clara.

–Vive en nuestra urbanización –intervino María.

–¿Y qué tal es?

Clara iba a abrir la boca cuando María se adelantó:

–No sé. No habla mucho. Nos lo hemos cruzado en la piscina unas cuantas veces y no nos ha dicho ni mu.

–¿Y vosotras? No me creo que Clara no se haya lanzado a hablar con él –dijo Magda.

–¿No sabéis nada de él? –preguntó Nerea.

A Clara le explotó una sonrisa en la cara. María la miró como si fuera a taladrarla con los ojos y negó con la cabeza. Clara la imitó, poco convencida.

–Qué raro –dijo Magda.

–¿El qué? –preguntó María–. ¿El nuevo?

–Sí. No. También. Me refiero a todo ese rollo de que haya venido el director a presentarlo y eso de que lo tratemos como a uno más. ¿Cómo vamos a tratarlo? ¿Como a siete más? ¿Como a tres menos? Pues yo el curso pasado también era nueva y no vino nadie a presentarme ni me hicieron ningún discursito de bienvenida. Me senté en clase y punto.

–Sí, es raro –dijo Nerea–. Todo es raro. Él también. Pero es mono.

–¿Mono? Lo único que tiene de mono es la boca. Pero de mono, mono –recalcó Magda llevándose las manos hacia las axilas como un chimpancé.

–Pues yo le veo algo –insistió Nerea.

—Sí, ¿verdad? —dijo María—. No sé. Algo en los ojos.

—Pero si son marrones *vulgaris* y *corrientus* —dijo Magda.

—Ya, bueno. Pero es cómo mira.

Clara no pudo evitar echarse a reír.

—A María le gusta —afirmó.

—Idiota —respondió María.

—Si se quitara ese pelo de pringado, estaría mucho mejor —dijo Nerea—. ¿Sale con alguien?

—Mmm, creo que sí —dijo María.

—¿¿¿Qué??? —gritó Clara.

—Lo vi enrollándose con una chica en la urbanización.

—¿¿Cuándo?? —volvió a gritar Clara.

—Ayer.

—¿¿Y no me habías dicho nada??

—Lo dije en el blog. Más o menos.

—O sea que prefieres decírselo a todo el mundo antes que a mí —protestó Clara—. Si lo sé, no te regalo el blog.

—¿Qué es eso del blog? —preguntó Magda.

20

María se puso a la defensiva.

–¿No me dijiste que me regalabas el blog para que abrasara al mundo entero? –contestó a Clara.

–¿Pero qué es eso del blog? –dijo entonces Nerea.

–Ya –contestó Clara ignorándola–. Pero una cosa es que se lo cuentes a todo el mundo y otra que dejes de contármelo a mí.

–No te piques, Luján –respondió María–. Pero si lo escribo sobre todo para mí... Es como si escribiera un diario.

–¿Cómo que un diario? ¡Es lo contrario de un diario! ¡Un diario solo lo puedes leer tú, y el blog lo puede leer cualquiera! ¡Hasta tu madre!

–Sí, claro, sobre todo si pones mi nombre y mi foto –le recriminó María muy seria.

Por un momento se hizo un tenso silencio, hasta que Magda se atrevió a decir:

–¿Alguien puede decirme... –entonces Nerea se sumó a la previsible pregunta y las dos acabaron coreando al unísono– qué es eso del blog?

María esbozó una sonrisa, pero Clara respondió bruscamente:

–Cuéntaselo tú.

–Es un blog que me ha regalado Clara. Me creó la plantilla...

–Y puse su nombre y su foto. ¡Oh, qué horror! –la interrumpió Clara con indisimulado sarcasmo–. Menos mal que la señorita Pinilla ya lo ha quitado...

–¿Qué pasa? –alzó la voz María, ya harta–. Yo solo decía que prefiero que no me localicen para poder escribir lo que me dé la gana. ¿No se puede hacer ningún comentario?

–Sí, claro. En tu blog –dijo Clara con ironía–. Todos los comentarios que uno quiera.

–¿Pero cómo se llama el blog? –medió Magda.

Clara se apresuró a responder:

–Ay, Magda, qué cosas preguntas. ¿No ves que es el diario privado de la señorita Pinilla? ¿Cómo quieres que te lo diga? ¡Y que descubras todos sus secretos!

Magda, que solo había preguntado para intentar que María y Clara dejaran de discutir, miró para otro lado.

–Mira, si no lo quieres entender, no lo entiendas –dijo María a Clara–. Pero no me hace gracia que cualquiera entre en mi blog y se ponga a leer mis cosas. Prefiero ser yo la que decida quién entra y quién no. Y quiero que Magda, Nerea... e incluso tú, por muy inaguantable que seas a ratos, lo leáis –entonces, mirando a Magda y a Nerea, aclaró–: Pinillismos. Se llama Pinillismos. Pinillismos punto blogspot punto com –y luego recitó de memoria el subtítulo de la cabecera–: Teorías sentimentales, dudas amorosas y de las otras.

–¿De las otras? ¿Qué otras? –preguntó inocentemente Nerea.

–¡Qué guay! –exclamó Magda.

–Fue idea de Luján –dijo María conciliadora.

Clara la miró con media sonrisa y dijo con fingida seriedad:

–Pero júrame que cuando te líes con el hijo... eeeh... con el nuevo, me lo contarás a mí primero, antes de escribirlo en el blog.

María sonrió:

–Te lo juro, Luján.

–Estaré esperando, Pinilla.

–Yo también –rio María.

Entonces Magda señaló hacia la pista de baloncesto.

–Eh –les llamó la atención.

Todas miraron hacia allí.

Bajo la canasta estaba el nuevo. Con Marcos, el pringado oficial de la clase.

–Oh, no –susurró María. No podía concebir que el hijo de Rebeca Lindon aceptara las migajas de amistad que le ofrecía el chico más solitario del curso.

Sin embargo, nada de eso extrañó a Nerea o Magda. Al fin y al cabo, ante sus ojos tenían solo a Jorge Zaera, el nuevo, un chico tímido. Todavía una recta.

–Dios los cría –empezó a decir Nerea.

–... y los frikis se juntan –terminó Magda.

A partir de ese momento, no hubo otro tema de conversación que el nuevo. Analizaron minuciosamente sus gestos, su ropa, su forma de andar... Magda y Nerea elucubraban sobre él mientras María y Clara se miraban en silencio.

Cuando terminó el recreo, Clara agarró a María del brazo y se alejó un poco del grupo.

—Tía, me muero de ganas de decírselo. ¿Por qué no se lo contamos? Solo a Magda y a Nerea, va.

—Que no. Pobre chaval —dijo María—. Si tienes ganas de contárselo a alguien, cuéntamelo a mí.

Clara puso cara de fastidio.

—Jo, Pinilla, ¿sabes una cosa?

—¿Qué? —preguntó distraída María.

—¡¡El nuevo es hijo de Rebeca Lindon!! —exclamó en susurros mientras daba saltitos, sonreía de oreja a oreja y abría los ojos como platos.

—Estás como una cabra, Luján.

—Sí, pero ¿y lo a gusto que me he quedado? Y ahora cuéntame toooodo sobre su novia. ¿Cómo es?

Raquel era mayor que Jorge. Tenía casi dieciocho años y había repetido curso.

Lo de Raquel había sido distinto. De hecho, lo primero que Raquel supo de Jorge fue quién era su madre.

—¡Hemos visto a Rebeca Lindon! —le dijeron sus amigas en cuanto bajó a la playa. Era Semana Santa.

—¿En serio? ¿Dónde?

Raquel y sus amigas pusieron las toallas cerca de donde estaban Rebeca, Jorge y la pequeña Ingrid y se esforzaron en escuchar su conversación. Pronto se aburrieron de hacerlo. La conversación de Rebeca Lindon con sus hijos no era muy distinta a la de cualquier madre. «Hija, no me tires arena». «¿Tenéis hambre?». «¿Damos un paseo?». «Hijo, ponte crema».

—¿Ese chico es hijo de Rebeca Lindon? —preguntó Sara, una amiga de Raquel—. No sabía que tuviera un hijo.

—¿Y quién es su padre? —dijo otra amiga—. No puede ser Pichi...

—Me parece que te está mirando, Raquel.

Esa misma noche, Jorge fue con unos amigos a la discoteca y volvió a ver a Raquel. Era difícil no hacerlo con su altura.

Así empezó todo. Esa noche descubrieron que vivían en la misma ciudad, que medían los mismos ciento ochenta y un centímetros, que a los dos les gustaba Muse y que eran socios del mismo club de fútbol. Por lo demás, a Jorge aún le quedaban varios años para ser mayor de edad, y a Raquel, solo unos meses; Jorge practicaba *snow*, y Raquel, *skate*; Jorge iba a un colegio, y Raquel, a un instituto; Jorge era despistado, y Raquel, observadora; Jorge, tímido, y Raquel, lanzada. Y como Raquel era lanzada, no hizo falta saber mucho más para empezar a besarse.

Para: Jorge Zaera

De: Berto Zaera

Asunto: Agenda

Querido hijo:

Te escribo rápido entre conferencia y conferencia porque no sé si se me hará tarde para llamarte. ¿Qué tal estás? Parece que la cosa remite, ¿no? Te lo dije. Pronto pasará todo y nadie se acordará de ti.

Te recuerdo que este fin de semana lo pasas conmigo. Quería que me confirmaras a qué hora puedes salir el viernes para sacarte los billetes. No sé si tienes que hacer algo después de clase... Ya me dirás.

Un abrazo.

Papá

PD: Te he comprado un libro de Arcimboldo.
Creo que te encantará.

El segundo día de clase, María y Clara salieron juntas de casa. Cuando doblaron la esquina, vieron a Jorge unos metros por delante.

Clara aceleró el paso.

–¿Qué haces? –susurró María.

–Vamos a saludarlo, ¿no?

María se resistió y empezó a andar más despacio. Pero Clara siguió acelerando hasta que alcanzó a Jorge.

–Hola –dijo dándole un par de golpecitos con el dedo en el hombro.

–Ah, hola. Qué susto –dijo Jorge quitándose los cascos.

–Lo siento –respondió Clara, y luego llamó mirando hacia atrás–: ¡Venga, Pinilla!

Jorge se volvió sonriendo y María apretó el paso hasta alcanzarlos.

Tras un pequeño silencio, Jorge dijo:

–Eeh... Muchas gracias.

–¿Por? –preguntó María, y al momento se mordió el labio. ¿Es que solo iban a salirle monosílabos cuando hablara con aquel chico?

–Por no decirlo. Lo de mi madre, ya sabéis.

–¡Ah, eso! De nada –dijo Clara–. Total, no nos cuesta nada guardarte el secreto, ¿verdad, Pinilla?

María puso los ojos en blanco. «Lo que hay que oír», pensó.

–Sí –dijo.

Y siguieron andando un buen rato en silencio.

–Bueno, hasta luego –se despidió Clara al llegar al pabellón de Secundaria–. Nos vamos al baño. Nos vemos.

–En el baño no –dijo María, y se puso roja como un tomate–. En... en clase.

–Ya –sonrió Jorge, y levantó la mano para decir adiós.

En cuanto cerraron la puerta del baño de chicas, María dio un grito:

–¡Se va a creer que soy idiota!

–Pues yo tampoco es que haya estado muy ocurrente –suspiró Clara.

–No mucho, la verdad –dijo María–. ¿Qué nos pasa?

–Es por Rebeca Lindon.

–Sí –admitió María–. Rebeca Lindon.

–¿Qué decís de Rebeca Lindon? –dijo Natalia, saliendo de uno de los servicios.

María y Clara se miraron.

–Nada –dijeron al unísono.

«A quien cuentas tu secreto, entregas tu libertad», dicen. Hay quien prefiere vivir libre, esclavo solo −no es poco− de su secreto. Otros eligen cuidadosamente la persona a quien entregar su libertad, y permanecen unidos toda su vida a ella. Los hay, por el contrario, que revelan sus secretos a lo loco, a sus más de trescientos amigos en Facebook. Pero aún existe otra posibilidad más terrible: que sea otra persona quien cuente tu secreto. Robada tu libertad, quedas preso para siempre. Contra tu voluntad.

Eso le sucedió a Jorge.

Clara no tuvo que seguir esforzándose en mantener su secreto. Otro lo desveló por ella. Fue el Bigotes, el profesor de inglés.

−Hombre −dijo cuando pasó lista y llegó al nombre de Jorge Zaera−. ¡El hijo de Rebeca Lindon! Espero que tengas el mismo talento que tu madre... para el inglés.

Se hizo un silencio sepulcral.

Al minuto, una ola creciente de cuchicheos rompió el silencio. Todos hablaban de lo mismo.

Jorge, desde su pupitre, miraba desafiante hacia la pizarra. Jorge Zaera jamás habría osado mirar así a un profesor. Pero Jorge Zaera Lindon sentía ahora la fuerza de aquel apellido y la rabia de quien acababa de convertirse en esclavo.

Ante él, impune, sonreía con ingenuidad el Bigotes, el delator de su secreto, el ladrón de su libertad.

Todo cambió a partir de entonces.

Y las rectas pasaron a ser curvas.

MARTES

Querido Jorge:

No sé si quiero o no quiero saber. Por un lado, me siento más fuerte y necesito saber. Quizá sea porque ahora parecen menos. Por otro lado, si recuerdo lo que pasó y todo lo que dijeron, la bola de palabras vuelve a crecer en mi cerebro y luego se instala en mi garganta hasta dejarme otra vez sin respiración.

Al principio pensé que esta estrategia de mis padres era absurda. Puedo estar sin tele, sin internet, sin móvil..., pero ¿de verdad creían que así podrían mantenerme a salvo? ¿Hasta cuándo? Y además, ¿cómo no iba a llegarme la información por otro lado? ¿No me lo contarían todo Clara, o Magda, o Nerea, o incluso Javier o Nicolás?

Sin embargo, debo reconocer que ha sido mucho más eficaz de lo que yo creía. Nadie me dice nada. Siento que vivo en una obra de teatro. Clara sonríe y me habla de tonterías. Hoy me ha contado lo de que Edgar encontró el pendrive en la maceta antes de que tú salieras a buscarlo, y cómo enseguida supuso que sería tuyo y lo guardó para dártelo cuando no estuviera tu madre delante. No sé cómo lo ha hecho, pero ha logrado contármelo sin decir tu nombre ni una sola vez.

En casa es igual. Después de los gritos, parece que hemos vuelto a la normalidad. Mi madre habla de política, mi padre de sus anuncios, mis hermanos de sus tonterías... Lo importante, lo real, lo nuestro, parece no existir. Se ha convertido en un enorme silencio que ocupa todo el espacio. Nadie quiere hablar de ello. Y así, cada personaje va entrando y saliendo al escenario, sonriendo un poco más de lo normal, hablando más alto de lo normal, fingiendo que todo es más normal de lo normal. Y yo les sigo el juego y sonrío.

Pero no me lo trago. Sé que todo es una farsa.

Ya solo me siento real cuando te escribo o cuando miro tus dibujos. Cuando te cuento, cuando me cuentas. Solo estoy aquí. Solo soy yo contigo.

25

Si yo fuera el tutor de Jorge y María, si yo fuera Pedro Contreras, podría contar esta parte mucho mejor. Seguramente contaría los debates sobre el hijo de Rebeca Lindon en la sala de profesores, los sutiles cambios en la distribución de los grupitos, los insólitos acercamientos entre compañeros que hasta entonces parecían incompatibles... Pero no soy Pedro Contreras, y aún falta tiempo para saber quién es este narrador. Aun así, sí puedo contar algo de lo que pasó a partir de entonces:

Cuando el hijo de Rebeca Lindon salió de clase, se creó un espacio en torno a él. Parecía como si le rodeara una burbuja intraspasable que nadie se atreviera a tocar, una burbuja invisible que sin embargo todo el mundo intentara ver. Los menos miraban de frente; los más, de reojo.

Y de pronto, como por arte de magia, la burbuja estalló. Poco a poco, todos aquellos que el día anterior habían ignorado a Jorge empezaron a acercarse a él. Y todos tenían algo que ofrecerle: unos apuntes, un cigarrillo, su amistad, una invitación a una fiesta, su admiración, una información jugosísima sobre algún profesor, una nueva aplicación para el teléfono... Y todos tenían algo que pedirle, aunque no lo hicieran de momento.

Todos menos María, Clara y Marcos.

Y entonces cobró pleno sentido la petición del director, aquello de «quiero que lo traten como a uno más». Porque a Jorge empezaron a tratarlo como a dos más: Jorge Zaera y Rebeca Lindon. Y Jorge hizo lo que se espera de alguien apellidado Lindon: actuar. Abandonó su papel de «el nuevo», «el chico tímido», para abrazar el papel de «el hijo de la famosa».

Fue fácil.

Era fácil no parecer tímido cuando los demás se acercaban a ti apocados; fácil sentirse generoso cuando todos se sentían afortunados solo con que les hablaras; fácil parecer imponente cuando solo tu apellido imponía.

Si todos veían en él una curva, sería una curva para los demás.

—Ahora lo entiendo todo —dijo Clara recordando las palabras del director.

—Y yo —asintió María.

Estaban perplejas. Ahora necesitarían darse codazos con decenas de chicos y chicas para conseguir hablar con Jorge, y aún estaba por ver que él se mereciera semejante esfuerzo. María y Clara se retiraron de aquella partida antes de empezar a jugar.

SI EL MUNDO SUPIERA QUÉ ES LO REAL...

26

Desde el día en que Jorge pasó a ser el hijo de Rebeca Lindon, María y Clara se convirtieron en unas desconocidas para él. Ellas, por su parte, sin apenas darse cuenta, alentaron la indiferencia de Jorge al imponer cierta distancia de seguridad.

–No lo entiendo –le decía María a Clara–. Nosotras no tenemos la culpa de nada.

Estaban sentadas en el banco frente al portal tres.

–Le guardamos el secreto –dijo Clara.

–Bueno, solo un día.

–Tampoco hizo falta más. Ya se encargó el tonto del Bigotes.

–Pero nos trata como si tuviéramos la culpa de algo. Ni nos saluda. Y eso que fuimos las primeras que le hicimos algo de caso.

–Y Marcos. No te olvides de Marcos.

–Sí, claro, pero a Marcos le sigue haciendo caso. Por primera vez tiene amigos.

–Sí, más amigos que en toda su vida.

–Me alegro por él –dijo María.

Clara se repantigó en el banco, y María apoyó la cara en las manos y confesó por fin:

–Y pensar que al principio me hizo gracia... No sé, lo veía así tan despistado, tan gracioso...

–Es un cretino –sentenció Clara.

–Integral.

–No me extraña que sea relaciones públicas del Maracaná.

–¿Quién? ¿Jorge? ¿Con lo tímido que parecía? Bueno, a veces...

–No te equivoques, Pinilla. No es exactamente Jorge. El que es relaciones públicas es «el hijo de Rebeca Lindon». Y ese no parece tan tímido, ¿a que no?

Después de un silencio, Clara se incorporó y se giró hacia María.

–¿Sabes qué te digo, Pinilla?

–¿Qué?

–Que le den. Nosotras no necesitamos ser amiguitas suyas. Ya vendrá un día a pedirnos un huevo.

María la miró con cara rara.

–Bueno, eso es lo que se piden los vecinos, ¿no? Quien dice un huevo, dice unos apuntes.

En ese momento se oyó el chirrido de la puerta que daba al jardín. Edgar cedió el paso a Jorge, que llegaba de clase. Al pasar delante del banco, Clara levantó la cabeza exageradamente y miró al cielo con sumo interés. María puso cara digna y la imitó. Desde su portal, Jorge oyó las carcajadas de las dos.

–¡Un huevo! –gritó Clara riendo.

–Niñatas –murmuró Jorge.

–Tengo que engrasar esta puerta –dijo Edgar.

Al mismo tiempo que las miradas dejaron de buscarse y comenzaron a esquivarse, los cuerpos empezaron a palidecer. Las mangas se alargaron, los días se acortaron, los cuadernos empezaron a llenarse, página tras página, y la tinta de los bolis fue vaciándose poco a poco.

En la urbanización, la verja de la piscina se cerró definitivamente hasta el verano siguiente. Las hojas de los chopos amarillearon. El viento las arrancó y formó una alfombra dorada que Edgar se resistía a recoger.

–Hace tan bonito... –decía.

Sobre aquella alfombra de hojas, más de una tarde, cuando ya empezaba a oscurecer, María vio a Jorge y a Raquel. Y siguió dando un portazo cada vez.

Los celos de María, la rabia de Clara y la timidez del auténtico Jorge abrieron, cada uno por su lado, un enorme boquete que parecía imposible de salvar.

Los vecinos empezaron a acostumbrarse a la presencia de Rebeca Lindon y, aunque todos sonreían más de lo normal al verla, cesó el escudriño. Solo los padres de María parecían no terminar de acostumbrarse. En el garaje, se quedaban dentro del coche un rato más para no coincidir con ella, salían y entraban corriendo del portal... Pese a todos sus esfuerzos, no pudieron evitar encontrarse, las dos familias al completo, en un par de ocasiones. Lo que más sorprendió a María entonces no fue la mirada esquiva de sus padres, sino la intensidad y el desconcierto con que Rebeca Lindon los miró y la forma tan artificial en que concentró toda su atención en su hija.

–¡Ingrid, haz el favor de andar bien! –gritó–. ¡Deja de hacer el tonto!

Pero Ingrid no era la única que a veces hacía el tonto. O, mejor dicho, tonteaba. Y es que, cuando entre dos personas se abre un abismo, a veces nos asalta la tentación de saltarlo.

Los sábados, María y sus amigas se encontraban a Jorge en el Maracaná. Siempre estaba rodeado. Casi siempre estaba con Raquel.

María y Jorge comenzaron a practicar la modalidad otoñal de aquel cruzarse en la piscina. Solo que ahora llevaban más ropa y el escenario ya no era la piscina, sino la pista del Maracaná. A menudo coincidían y, en esas ocasiones, María bailaba con Clara y poco a poco iba acercándose, casi siempre de espaldas, adonde estaba Jorge. Alguna vez chocaron, cualquiera diría que por azar. Pero la casualidad no existía en el Maracaná.

Una noche, Jorge bailaba con Raquel y María chocó contra él. Jorge siguió bailando, y María también. Jorge tenía justo enfrente a Raquel, pero miraba a María. Fue la primera vez que bailaron, a su manera, juntos. Sonaba *Meet me halfway*[9]. Era allí donde siempre se encontraban: a mitad de camino. Del portal, de la piscina, del pasillo de clase, de la pista... Solo que luego cada uno seguía su camino.

Cuando el otoño ya parecía igualar un día con el otro y cada lunes parecía idéntico al lunes anterior y cada sábado era una promesa que nunca llegaba a cumplirse en el Maracaná, llegó la Historia.

[9] Enlace a la canción en <www.e-sm-net/halfway>

Les había tocado hacer un trabajo de Historia juntos, a Jorge y a María.

–¿Quedamos en tu casa o en la mía? –preguntó María, y al momento volvió a sentirse el ser más torpe del universo. Con lo fácil que era preguntar: «¿Dónde quedamos?».

–Mejor en la tuya –dijo Jorge rápidamente, y se marchó dejando a María con la palabra en la boca.

Aquella tarde, como todas las demás, Jorge se entretuvo hablando a la salida de clase. María y Clara llegaron antes a la urbanización. María subió a casa corriendo.

–Papá –anunció nada más llegar–. Esta tarde va a venir un compañero de clase a casa. Tenemos que hacer un trabajo de Historia.

–Muy bien –dijo Teo.

–Necesitaremos el ordenador.

–Vale.

Pero el «muy bien» y el «vale» no valieron cuando Jorge llamó a la puerta.

Teo abrió la puerta, y los ojos, y la boca al ver a quién tenía delante.

Al momento, hizo pasar a Jorge al salón y llamó a María a la cocina.

–No me habías dicho que el trabajo era con el hijo de Berto Zaera –dijo en susurros.

Probablemente Teo, el padre de María, era la única persona del universo que llamaba a Jorge «el hijo de Berto Zaera» en lugar de «el hijo de Rebeca Lindon».

–Bueno –respondió María–, es un compañero de clase. Y se llama Jorge. ¿Qué más te da quién sea?

Teo abrió una lata de limonada y se la dio a María.

–Está bien. Pero procurad no alargaros mucho. Será mejor que acabéis antes de que llegue mamá.

–¿Por? –preguntó María.

Teo desvió la mirada y dijo:

–Seguramente vendrá cansada y preferirá que cenemos cuanto antes para irse a la cama pronto.

María salió de la cocina y fue con la lata hacia donde la esperaba Jorge.

Aquella tarde, cuando Jorge salió de casa, María lo agregó como amigo en Facebook.

MIÉRCOLES

Querido Jorge:
¿Lo ves? Ya sabía yo que esta farsa no podía sostenerse. Mis padres no pueden pretender que todo el mundo actúe. Es imposible contratar a la humanidad entera para protegerme. Ni siquiera han podido contratar a los vecinos como figurantes.

A la vuelta de clase, he subido en el ascensor con Petra, la pesada del tercero.

–Pobrecita –me ha dicho–. Está visto que no os van a dejar en paz. Y ahora salen con esas.

Enseguida me he dado cuenta de que había algo nuevo. Yo no tenía ni idea de lo que hablaba, claro. Pero he disimulado. Si le llego a preguntar, se habría callado, seguro. Y he intentado tirarle de la lengua.

–Sí, es verdad. Es increíble. Porque se refiere a lo de... a lo de...

–A lo del anuncio, claro.

–Sí, claro.

–Lo he visto esta mañana.

–¿Cuál?

–El que adelanta lo del programa del viernes.

–Ah, ya –he dicho yo–. Tranquila.

–Tranquila, tranquila... No sé. Eso de «nuevas e inquietantes revelaciones» no es precisamente como para estar muy tranquila, ¿no?

Por suerte, hemos llegado a mi piso y he salido sin despedirme.

«Nuevas e inquietantes revelaciones». «Nuevas e inquietantes revelaciones». Una bola de cuatro palabras que vuelve a atascarse en mi garganta. Ya solo la palabra «inquietantes» es tan larga, tiene tantas letras... Se me ha quedado atravesada en mitad de la laringe y me cuesta respirar.

Dime que no es nada, por favor.

Pero hoy había cinco más en la puerta...

No puede ser que la pesadilla empiece de nuevo.

Dime que no es.

María estaba fisgando el muro de Jorge cuando Clara llamó.

–¿Qué tal? –preguntó impaciente.

–¿Qué tal qué? –respondió María, aunque sabía perfectamente a qué se refería.

–¿Qué va a ser? ¿La previsión meteorológica?

–¡Ah! Pues dicen que se aproxima un anticiclón por...

–¡Anda ya! ¡Cuenta ahora mismo!

–Un, dos, tres, cuatro, cinco... –respondió María con sorna.

–O me cuentas ahora mismo qué tal el trabajo o...

–¿O qué? –la interrumpió María disfrutando con la impaciencia de Clara. Se sentía tan poderosa... Es la sensación que embarga a los dueños de los relatos. Hay narradores omniscientes, que lo saben todo, y otros que no lo son. Pero todos, en el momento de contar, son omnipotentes. Porque cuando cuentas, haces que exista algo que antes no había. Decidir cuándo, cómo y a quién contar una historia es jugar a ser Dios.

Y entonces Clara hizo lo que se hace ante Dios: rogar.

–Por favor, por favor, Pinilla. No seas mala. Cuéntame qué tal con Zaera.

–Increíble.

Clara la habría asesinado si la hubiera tenido delante.

Suspiró, se rearmó de paciencia y preguntó:

–¿Increíble de bien o increíble de mal?

–Increíble de increíble. Es que no me lo creo.

Por un lado, María acariciaba la idea de guardarse la historia para ella sola. Era agradable ser tan dueña de lo que había pasado. ¿Y si no le contaba nada a Clara? Por otro lado, le podían las ganas de compartirlo con su amiga. Aunque ¿cómo haría para contarlo? ¿Le alcanzarían las palabras para explicar la conexión que había sentido con Jorge? Porque, bien mirado, si se ceñía a los hechos, lo que había pasado no era apenas nada. Pero si pensaba en lo sentido más que en lo ocurrido...

Clara la sacó de sus pensamientos.

–¿¿Pero qué tal??

Por el tono de voz de María, Clara habría apostado que su amiga sonreía desde el principio de la conversación. Por eso no le sorprendió que confesara finalmente:

–Fenomenal. Me acabo de hacer amiga suya en Facebook. Tendrías que ver su perfil. Es más majo...

–Claro, boba. ¿Cómo no va a parecer guay en su perfil?

–¿Por qué lo dices?

–Un perfil es precisamente eso: un lado. Y todo el mundo posa con su lado bueno. No verás a nadie de frente en Facebook.

–Es verdad –dijo María, picada–. Cualquiera diría por tu perfil que eres muy simpática.

–Y tú muy delgada.

Por un momento, se hizo un silencio al otro lado del teléfono.

–Que no, María, que estás fenomenal. Venga, cuéntamelo todo desde el principio, con pelos y señales –reclamó Clara.

–Bueno, al principio estábamos un poco cortados. Mi padre estuvo de lo más borde con él. Y yo seguía en mi línea de «sí», «no», «ya»... Pero luego hemos empezado con el trabajo y nos hemos ido soltando...

–Ya, soltando.

–Oye, que tiene novia. Pero reconozco que hemos acabado por los suelos de la risa.

–Ya, por los suelos.

–Eres imposible.

–Y tú estás fatal. Te partes de risa con un trabajo de Historia.

–No, en serio. Y nos ha quedado genial. Ha hecho una portada ingeniosísima para el trabajo. Con unos dibujos chulísimos. Y es divertidísimo. ¿Tú sabes lo que me he reído con él?

–No, si graciosísimo, debe de ser un rato. Todo el mundísimo se ríe con él.

Al otro lado del teléfono, María hizo una mueca. Estaba pasando lo que se temía. Sin darse cuenta, Clara, con sus comentarios, hacía que todo sonara vulgar. Y ella... A sus propios oídos sonaba ridícula. «Ingeniosísimas», «chulísimos», «divertidísimo»... ¿Por qué con Jorge era así? ¿Por qué tenía que pasar de los monosílabos directamente a los superlativos? Ahora que por fin había logrado hablar de forma «normal» con él, era incapaz de contarle a Clara lo que había pasado.

–¿Estás ahí? –la reclamó Clara.

–Sí, sí –dijo María volviendo a la conversación–. Sí que se le ve el gracioso del grupo. Pero yo creía que solo le reían las gracias por ser quien es. Como tiene esa panda de fans...

–Tienes razón. Esos se reirían hasta de los pedos que se tirara.

–No seas guarra. No tiene pinta de tirarse pedos.

–Hombre, Pinilla.

–Que no.

–Pinilla, que todo el mundo se tira pedos. Lo que pasa es que estás enamorada.

–Cuelgo.

–Prrr.

–¿Qué ha sido eso?

Clara soltó una carcajada por toda respuesta.

–¡Guarra!

María colgó el teléfono con una sensación agridulce. Por un lado, le parecía patético que su intento de relatar lo que había ocurrido aquella tarde hubiera degenerado en una conversación sobre pedos. Por otro, no podía dejar de sonreír.

QUERIDA MARÍA:

ESTE FIN DE SEMANA IBA A IRME CON MI PADRE, PERO HE HABLADO CON ÉL Y LE HE CONVENCIDO PARA QUEDARME. NO SÉ QUÉ PASARÁ EL VIERNES. MI MADRE DICE QUE NO SABE NADA DE LO QUE DIRÁN. EN CUANTO LO VEA, TE ESCRIBO Y TE CUENTO. ¿SALDRÁS CON CLARA? ¿CREES QUE ELLA SE QUEDARÁ EN CASA VIENDO EL PROGRAMA?

LO SIENTO. HOY NO TENGO TIEMPO DE DIBUJAR. ESTOY A TOPE CON LENGUA.

TQ.

31

Desde que María y Jorge hicieron juntos el trabajo de Historia, dejaron de ignorarse. No quedaban para ir a clase, pero si alguna vez se veían por la calle, se esperaban para hacer el camino juntos. Jorge, María... y Clara. Porque María siempre iba con ella.

A Clara le costó un poco asimilar el cambio.

–¿Y ahora por qué vamos a ir con él?

–Vamos, Luján. No seas rencorosa.

–Pero recuerda que hasta hace unos días ni nos hablaba.

–Ni nosotras a él. Estaba rabioso, y es tímido.

–¿Tímido?

–Pues sí. Lo que pasa es que, cuando coge confianza, no lo parece.

Clara puso cara de incredulidad.

–Y nosotras tampoco fuimos muy comprensivas que se diga –continuó defendiéndolo María–. No le hicimos ni caso.

–Hija, pareces mi madre.

María sonrió sin decir nada.

–Además, no me entero de la mitad de lo que habláis.

Era cierto. No se debía solo a que María y Jorge fueran a una clase diferente de la de Clara; es que, además, estaban empezando a construir un lenguaje propio lleno de complicidades y secretos. Cada palabra, cada ocurrencia, se incorporaba a un repertorio privado que los acercaba cada vez más entre sí y los alejaba del resto del mundo. Jorge, para María, era *Snowman*. Pasó a serlo desde el día en que presumió ante ella de sus habilidades con la tabla en la nieve. Todo empezó cuando María se exhibió ante Jorge en el murete del fondo de la piscina. María llevaba trepando por él desde que era una niña y lo hacía con ligereza de gato.

–Pareces *Catwoman* –dijo Jorge impresionado.

–¿Y tú? –preguntó María, invitándole a subir.

–Deja, deja. Yo soy más bien *Snowman*.

–¿*Snowman*? ¿Un muñeco de nieve?

Jorge frunció el ceño. Él no se refería a eso.

–Mira, listilla, este invierno te reto en las pistas con la tabla de *snow*.

Si Jorge era *Snowman*, María, para Jorge, pasó a ser Mariteorías, por su tendencia a crear teorías en torno a casi cualquier cosa.

–¿Sabes? –decía Jorge–. Creo que el portero tiene una doble vida.

–¿Quién? ¿Edgar? –preguntaba María–. Puede ser, *Snowman*. ¿Te he contado que tengo una teoría sobre los nombres?

–Cuenta, cuenta, Mariteorías –la animaba Jorge, sonriente.

–Alguien que se llame Edgar no puede llevar una vida simple. Seguro que lleva una doble vida, ¡o una triple! Sin embargo, una María...

Entonces Jorge recordaba cómo María le había dicho que siempre pedía la hamburguesa doble sin queso y decía:

–¡Una María solo puede llevar una doble vida si es sin queso!

–Eso –replicaba María como un eco.

Y los dos reían. Clara no. Clara asistía algo desconcertada a este intercambio creciente de complicidades que la excluía.

Poco a poco, Jorge y María estaban tejiendo un idioma particular que desarrollaban en el colegio, de camino a casa o en la urbanización. Era como si solo pudieran verse por casualidad, nunca a propósito. No quedaban. Solo se encontraban. Y siguieron así durante los últimos días del otoño.

Tempraneras luces navideñas titilaban ya en la ciudad. Alguna fría mañana, las palabras empezaron a salir acompañadas por nubes de vaho.

Un día, Clara, que llevaba tiempo acompañando a María y a Jorge más callada de lo habitual, dijo cuando ella y María se quedaron a solas:

–Lo que no entiendo, si tan amiguitos sois, es por qué no te habla de su novia.

María se encogió de hombros.

Entonces Clara emitió su veredicto con la voz ronca:

–Pinilla, estás colgada de Jorge. Y Jorge está colgado de ti.

32

En un principio, María lo negó.

–¿Pero qué dices? Si tiene novia.

–Tú dirás lo que quieras, pero lleváis un tonteo que no es normal.

–Anda ya.

María zanjó la conversación, pero en casa siguió dándole vueltas. Escribió Yo tonteo, tú tonteas, él tontea...[10]. Evidentemente, el J. del que hablaba en el blog era Jorge, y María se alegró más que nunca de no haberle revelado la existencia de Pinillismos.

Lo admitía. Sí, estaba tonteando con Jorge. Sí, le gustaba. Sí, creía que ella podía gustarle a él. Pero entonces, ¿qué pasaba con Raquel?

El viernes, María aprovechó que Clara estaba enferma para, a la vuelta del colegio, poner a prueba a Jorge.

–¿Vas a ir al Maracaná con tu novia?

Era la primera vez que María la mencionaba.

–¿Mi novia? –repitió Jorge, ganando tiempo a la sorpresa–. Eeh, sí, creo que sí.

Se quedaron en silencio. En realidad, María no tenía ningunas ganas de hablar de ese tema. Pero se moría de curiosidad. «Es más fuerte la sed que el miedo al veneno».

–¿Cómo se llama?

–Raquel.

–Raquel... –rumió María–. ¿Lleváis mucho tiempo saliendo?

–Mmm... Unos meses.

Silencio.

–Es mayor que tú, ¿no?

–¿Lo parece?

Y un nuevo silencio.

---

[10] Enlace a la entrada del blog «Yo tonteo, tú tonteas, él tontea...».
<www.e-sm.net/tonteo>

Jorge no se lo estaba poniendo fácil. Tampoco él tenía mucho interés en hablar de este tema con María.

–Alguna vez la he visto con tu madre y con tu hermana.

Hablaban mientras caminaban. Sin mirarse. Los dos con la vista al frente.

–Parece que vais en serio, ¿no?

Jorge miró de reojo a María antes de responder:

–Bueno, Ingrid enseguida se hace amiga de todo el mundo. Ya la conoces.

Poco a poco, muy poco a poco, Jorge contó a María cómo había conocido a Raquel y le habló de las cosas (algunas de las cosas) que hacían juntos.

–Pero no sé. Últimamente, no estamos tan bien –dijo Jorge–. Hola, Edgar.

Habían llegado ya a la urbanización. A María le empezó a latir el corazón más deprisa.

–¿Ah, no? Vaya –dijo sin pena mientras avanzaban por el patio–. ¿Y eso?

–No sé cómo explicarlo. Es como si no tuviéramos de qué hablar. Lo pasamos bien, sí. Pero... No sé. Si la comparo...

Jorge miró a María de reojo y María se dijo a sí misma: «Esa frase no termina diciendo "contigo". Esa frase no termina diciendo "contigo". Esa frase no termina diciendo "contigo"...», mientras los latidos de su corazón y el curso de sus pensamientos galopaban desbocados. Era inútil intentar tirar de las riendas.

Habían llegado a la altura de la verja de Juan. Jorge arrancó una flor de la enredadera, la última que quedaba ya, una auténtica superviviente.

–Toma.

María quiso hacerse la dura.

–Parece una araña –dijo.

–Es que lo es –dijo él haciéndose el gracioso–. Chica lista.

33

A más de dos mil kilómetros, Yaiza leía el blog de María mientras su padre la llamaba, impaciente.

–¡Yaiza, salimos ya! –repitió por cuarta vez.

–¡Un momento, papá! ¡Termino de leer una cosa y voy! –gritó hacia el salón sin despegar la vista de la pantalla, y siguió leyendo donde lo había dejado:

«Y ahora confieso otra cosa. Estoy tonteando con alguien que sale con otra persona. ¿Debería sentirme mal por ello? Yo no pretendo robar el novio a nadie, pero si J. me sigue el rollo, ¿qué culpa tengo yo?».

–¡Yaiza, ven ahora mismo!

–Ahora voy, ahora voy –dijo Yaiza sin dejar de leer.

«Uuuuf. Creo que estoy dando demasiadas vueltas a esto. ¿Será que en el fondo, pero muy en el fondo, me siento culpable? Seguro que sí. Y la prueba está aquí. ¡Me estoy confesando! ¿Alguien me absuelve, por favor?».

Urgida por los gritos de su padre, sin pensárselo dos veces, Yaiza clicó sobre los comentarios a la entrada. No había ninguno. Y ella deseaba absolver a aquella chica que hablaba de lo mismo que le sucedía a ella. Quería decirle que la entendía, que a ella le pasaba igual, que también se sentía culpable, pero que no podía hacer otra cosa.

«Hace tiempo que te leo, pero es la primera vez que me atrevo a...», empezó a escribir.

Pero entonces su padre apareció en la puerta. Al momento, Yaiza cerró aquella ventana y se levantó del ordenador.

–Te he dicho que ahora iba –protestó.

–Ya –dijo su padre–. «Ahora», hora peninsular. Una hora más tarde, ¿no?

Y el comentario de Yaiza en el blog de María fue a parar al pobladísimo limbo de los mensajes no enviados.

JUEVES

Querido Jorge:

Ya, ya sé que estás hasta arriba con Lengua. ¿Cómo te crees que estoy yo? Pero justo hoy necesitaba algo más que esas tontas líneas que me has escrito. No sé, unos pocos mimos, o un dibujo tuyo. Sí, un dibujo tuyo. Un dibujo tuyo bastará para sanarme. Tus dibujos hablan por ti. Y hoy, especialmente hoy, noto que nadie habla. Ni siquiera tú.

Solo te salva que hayas escrito «Tq». Parece mentira que con solo dos letras puedas hacerme tan feliz. Pero con lo nerviosa que estoy por lo del programa de mañana, habría agradecido unas cuantas letras más. Soy una pesada, ¿verdad?

No, si yo ya noto que me pongo muy melodramática. ¿Pero cómo quieres que esté? Es como saber con toda seguridad que te va a caer un meteorito en la cabeza, solo que no sabes si va a ser del tamaño de un guisante, de un elefante o de un estadio de fútbol. ¿Cómo se prepara uno para eso?

Ya sabes que la semana pasada no me atreví a salir. No quería que me señalaran por la calle, pero creo que mañana sí saldré. No puedo quedarme en casa intentando escuchar la tele de los vecinos, volviéndome loca. Creo que bailaré y cantaré y bailaré. Eso me ayudará a no pensar.

A la vuelta, le pediré a Clara que suba hasta tu casa para recoger el pendrive de la maceta.

¿Será mejor no saber? Ay, te lo pido con miedo pero te lo pido: cuéntamelo todo.

Cuando María subió a casa, se encerró en su cuarto, puso la flor sobre su mesa de trabajo y abrió el libro de Matemáticas.

Tenía que concentrarse en estudiar para los exámenes, pero no había forma. Acabó escribiendo una encuesta[11] en el blog.

–Al fin y al cabo, esto también es estadística, ¿no? –se consoló.

Dos horas después, María había contado no menos de veinte veces el número de pétalos de la flor (tenía doce, como los doce apóstoles) y había pasado tres páginas del libro.

–¡María! –la llamó su hermano Javier–. Dice papá que nos ayudes a poner la mesa.

–¿Y mamá? ¿No esperamos a mamá? –preguntó María a Teo, su padre, cuando llegó a la cocina.

–Llegará tarde.

–Como siempre estos últimos días –se quejó María débilmente. Y siguió poniendo la mesa mientras silbaba una canción.

Nada de lo que pasara esa tarde podía ensombrecer su felicidad. La felicidad que dan una frase inacabada, una sospecha y una flor con pinta de araña.

---

[11] Enlace a la «Spider-encuesta» del blog. <www.e-sm.net/encuesta>

Días después, en clase de Literatura, la profesora les contó la historia del avellano y la madreselva. Cuando acabó de hacerlo, Unai le pasó un papel doblado a María.

Ella lo abrió. Era un dibujo con un título: «Teje que teje». Lo había hecho Jorge. En el dibujo salía ella con corona de reina. Estaba de pie, mirando hacia el cielo, con los brazos hacia abajo y los puños cerrados. Parecía encontrarse en medio de un bosque, rodeada de hierba y maleza. Por eso María no la vio al principio. Pero sí: escondida entre las ramas, camuflada, había una araña. Teje que teje... Cuando María la localizó, se sintió feliz de haberla encontrado. Entonces miró el dibujo aún con más atención y pudo descubrir otras cuatro arañas escondidas en los lugares más insospechados: el estampado de su vestido de reina, una falsa nube, su pupila...

–¿Cuántas había? ¿Cuántas había? –le preguntó María nada más salir de clase, con el dibujo en la mano–. ¡He encontrado cinco!

–Chica lista –dijo sonriendo Jorge–. Pero había seis.

–No puede ser. Lo he mirado y remirado cien veces. ¿Dónde está la sexta?

–¿Cómo voy a saberlo si no sé dónde has encontrado las otras cinco?

–En el vestido, en una... –empezó a enumerar María.

Jorge la detuvo.

–Espera. Deja que adivine cuál no has encontrado.

Entonces cerró los ojos, hizo una inspiración de lo más teatral, abrió los ojos, la miró fijamente y dijo:

–No has encontrado la que está dentro de tu puño.

María miró el dibujo.

–Pero si aquí no hay nada.

–Claro –explicó Jorge–. Está dentro de tu puño.

–¡Eso no vale! ¡No se veía!

Jorge sonrió y se limitó a decir:

—«Lo esencial es invisible a los ojos».

Era una cita de *El principito*, su libro preferido.

María volvió a plegar el dibujo, se lo metió en el bolsillo de la cazadora y salió de clase con una sonrisa de oreja a oreja.

36

Durante muchos días, María no paró de sonreír. Ni siquiera haber suspendido por primera vez Matemáticas –ella, que siempre sacaba tan buenas notas– le quitaba la sonrisa. Solo había una cosa que nublaba su ánimo: acordarse de Raquel.

Precisamente estaba sonriendo, «no-acordándose» de Raquel, cuando la sorprendió un mensaje de Clara: «Has visto el reportaje?». Fue el día que empezaron las vacaciones de Navidad.

María se abalanzó sobre el móvil para responder: «???».

En menos de dos minutos estaban juntas en el portal dos, el de Clara.

–¡A ver, a ver! ¡Déjame a mí, que tú ya lo has visto!

Sobre sus piernas, ocho fabulosas páginas a todo color mostraban a Rebeca Lindon «celebrando la Navidad en familia». Rebeca Lindon frente a la chimenea. Rebeca Lindon junto al árbol navideño. Rebeca Lindon, cuyo rostro parece inmune a los efectos del tiempo, feliz ante el próximo estreno de su nueva serie. Rebeca Lindon colocando los adornos junto a su hija Ingrid. Rebeca Lindon con su marido, el guionista Pichi Fernández, en el sofá de su casa. Bello primer plano de Rebeca Lindon ante el espejo. Rebeca Lindon se muestra radiante junto a su marido y su hija. Rebeca Lindon en una simpática estampa familiar luciendo un gorro de Papá Noel.

Ni rastro de Jorge.

–Qué hortera tiene la casa, ¿verdad? –dijo Clara–. Y esas botas son horribles.

Luego se llevó la revista cerca de los ojos.

–Su salón parece más grande que el nuestro, ¿no? Por cierto, qué raro que Jorge no te haya invitado a subir a su casa, tan amigos que sois.

–Ya... –dijo María, un poco abrumada por tanta Rebecalindon. A menudo olvidaba que Jorge era hijo de Rebeca Lindon.

Clara seguía pasando las hojas adelante y atrás.

–¿Me la dejas? –le pidió María quitándole la revista de las manos. Clara se la arrebató.

–Ni de coña. Cómprate una.

Por un momento, María intentó imaginar qué cara pondría su madre si viera encima de la mesita del salón la revista con Rebeca Lindon en portada.

–Vale, muchas gracias –dijo con retintín–. Me vuelvo a casa. Estamos colocando los adornos de Navidad.

–¿Aún no los habíais puesto? –preguntó Clara con incredulidad.

–No, estábamos esperando para hacerlo con mi madre. Y como siempre anda tan ocupada... ¡Hasta luego!

Pero cuando María subió a casa, no hizo otra cosa que esquivar las cajas que sus padres acababan de subir del trastero. Acarició la cabeza de Nicolás y pasó por delante de su padre como una exhalación.

–¿Dónde te habías metido? –preguntó él a su paso.

María se limitó a decir: «Ahora vengo», y se encerró en su cuarto.

37

Mientras encendía el ordenador y entraba en Facebook, María se quitó la cazadora.

Era su día de suerte. Jorge estaba allí.

María le envió un mensaje:

«Te he visto».

«¿Dónde?», respondió él.

«En el reportaje».

«¿¿Dónde??».

«Dentro de la chimenea».

«Me confunde con Papá Noel, señorita», escribió Jorge.

«Pero caliente, caliente», siguió Jorge.

María, desde su cuarto, sonrió.

«¡Dentro del armario!», propuso intencionadamente.

«¿Por quién me tomas?».

María lamentó que Clara no le hubiera dejado la revista e intentó hacer memoria.

«Al otro lado del espejo», escribió.

«Me confunde con Alicia», contestó Jorge.

María volvió a sonreír. Tras pensar unos segundos propuso:

«Detrás del sofá».

Jorge decidió rendirse.

«Chica lista».

Durante unos segundos, ninguno de los dos escribió. Era el tiempo de que se posaran las sonrisas.

«Baja al banco y te doy otra primicia», puso entonces Jorge.

«Personal», añadió inmediatamente.

A María le dio un vuelco el corazón. ¿Qué tendría que anunciarle Jorge? Intentaba calmarse pensando en un tonto titular, una posible primicia: «Jorge Zaera recibe el año nuevo practicando *snow*», «Jorge Zaera recibe el año nuevo practicando *snow*», «Jorge Zaera...».

«Voy», escribió.

Cuando saltó a la carrera por encima de las cajas de adornos y su padre le preguntó adónde iba otra vez, a punto estuvo de responder: «Jorge Zaera recibe el año nuevo practicando *snow*». Pero finalmente volvió a murmurar:

–Ahora vengo.

38

Esta vez se fue de casa sin ponerse la cazadora. Nada más salir del portal, sintió cómo el aire gélido se colaba por cada hueco de su jersey blanco de lana. Apretó el paso hasta llegar al banco que se escondía entre el portal cinco y el seis, el sitio donde solía quedarse hablando con Jorge. Cuando llegó, se sentó sobre el respaldo y apoyó los pies en el asiento.

Él aún no había llegado. María se palmoteaba los brazos para entrar en calor mientras jugaba a echar vaho. Intentaba, con poco éxito, formar una nube cada vez mayor. Sus pequeñas nubes de vaho en ningún momento llegaban a ocultarle el lugar donde tenía clavada la mirada, el portal seis.

Y de pronto, la puerta se abrió y salió...

−Edgar −susurró María, decepcionada.

−Lo lamento −dijo Edgar−. Buenos días.

María le echó media sonrisa y siguió esperando. Un minuto después, volvió a abrirse la puerta. Era él.

−Sí que has tardado −se quejó María−. Me estaba quedando helada.

Jorge se sentó a su lado. Llevaba puesto el anorak que utilizaba para hacer *snow*. María sonrió al darse cuenta y se repitió una vez más: «Jorge Zaera recibe el año nuevo practicando *snow*».

−¿Cuándo lo has visto? −preguntó Jorge.

−¿El qué? ¿El reportaje?

Jorge asintió.

−Me lo ha enseñado Clara hace unos minutos. No me habías dicho nada.

Jorge se desperezó.

−Bueno, no hay mucho que decir.

María se quedó en silencio. El anuncio de aquella primicia se había plantado en su conversación como un obstáculo en una carrera. Hasta que no lo saltaran, no se verían libres del nerviosismo.

—Mi madre está cabreada —dijo Jorge—. Dice que no la han sacado bien.

—¡Pero qué dices! Ya me gustaría a mí...

—¿Has visto la foto esa en la que sale de pie al lado del árbol?

—Sí.

—Debajo de la foto han puesto que por su cara parece que no pasan los años. Ella dice que lo han escrito a mala leche. Que quieren decir que por su cuerpo sí. Dice que en esa foto se le ve barriga.

—¡Anda ya!

—Está un poco paranoica con lo de la edad.

De nuevo se hizo un pequeño silencio. Fue María quien lo rompió.

—¿Y tú por qué no sales? Nunca se te ve.

—Ya sabes. Soy esencial en mi familia —dijo Jorge con fingido misterio—. Y lo esencial es invisible a los ojos.

—No, en serio. ¿Por qué no sales?

—Es mejor así. Mi padre le hizo prometer a mi madre que jamás me sacaría en una revista o en la tele. Pichi es distinto. A Pichi no le importa que salga Ingrid. Pero mi padre es un histérico con este tema. Por eso pidió que en el colegio no dijeran quién era mi madre. Pero ya ves. Al final... Bueno, más bien, al principio.

Jorge hablaba mirando al frente. María observaba su perfil y las nubes de vaho que exhalaba al hablar. No podía apartar los ojos de su boca.

—La verdad es que antes me molestaba un poco —continuó—. Pero me he dado cuenta de que es mucho mejor así. Lo veo por Ingrid. La gente no la deja en paz. Yo, sin embargo, nunca soy noticia. No llamo la atención. Salvo cuando me presentan como el hijo de Rebeca Lindon.

—Ya —dijo María, intentando abarcar en ese escueto «ya» el recuerdo de lo sucedido en el colegio y toda su comprensión—. Debe de ser difícil vivir sin saber por qué se te acerca la gente: si por ti o por tu madre.

—O por qué se aleja... —dijo Jorge mirando a María con especial intensidad.

María se acordó de Clara y ella en el banco, mirando al cielo, mientras Jorge pasaba por delante. Y se sintió culpable.

Por unos instantes, se quedaron en silencio.

–¿Te has fijado en que tú haces más vaho que yo? –preguntó María.

–Será por mis superpulmones –dijo Jorge, y se tamborileó en el pecho como Tarzán.

–Será que tú estás más calentito –dijo María abrazándose–. Los muñecos de nieve, los auténticos muñecos de nieve, no hacemos vaho, *Snowman*. Es porque no hay contraste de temperatura, ¿sabes?

Entonces Jorge se dio cuenta.

–Reconozco que el jersey es bonito, pero hay que estar loca para salir así con este frío.

Se quitó el anorak y se lo pasó a María por los hombros. María se dijo para sus adentros: «María Pinilla recibe el año nuevo practicando *snow*», y se imaginó por un instante portada de revista. Alzó las manos para ajustarse el anorak y, al bajarlas de nuevo al banco, pisó con su dedo meñique el dedo meñique de Jorge. Jorge no retiró la mano. Sus dedos se quedaron ahí, rozándose, fingiendo que estaban en otra parte. Sin embargo, el centro de gravedad de sus cuerpos se desplazó a ese leve punto de contacto. María inspiró fuerte y sintió el olor de Jorge en su anorak. Olor a pomelo. A su vez, el anorak se iba impregnando del olor de María. Olor a limón.

Habrían seguido así durante horas, en silencio, mirando al frente, exhalando vaho, concentrados en ese punto de contacto donde el frío se transformaba en una cálida corriente, sin atreverse a volver la cabeza por miedo a equivocar el desenlace. Porque aquello solo podía terminar en un beso. Eso sentía Jorge. Eso pensaba María. Hasta que de pronto se impuso ante ella, como una enorme y opaca nube de vaho, el fantasma de Raquel.

Entonces María movió unos milímetros el dedo meñique. Al hacerlo, la inundó una desagradable sensación de frío.

Roto ya el momento, María se giró hacia Jorge sin ninguna esperanza de recibir un beso, sintiendo que tampoco tenía ningún derecho a dárselo, y preguntó tímidamente:

–¿Y la primicia?

Una pequeña nube de vaho salió de los labios de Jorge cuando pronunciaron una frase distinta a «Jorge Zaera recibe el año nuevo practicando *snow*». La frase era:

–He cortado con Raquel.

María volvió a casa con otra primicia. «Jorge y María se han besado». No fue un beso largo. Solo fue un tímido beso en los labios, casi un desliz. Justo eso. Era como si un beso de despedida familiar se hubiera deslizado cuatro centímetros, los suficientes como para acabar labio contra labio. Pero no había posibilidad de error. Sus dedos meñiques, sus labios, podían fingir, pero Jorge y María eran bien conscientes de dónde estaba cada parte de su cuerpo cuando se despidieron en el portal.

Durante aquella mañana, María ayudó a sus hermanos a poner la decoración navideña mientras cantaba villancicos a pleno pulmón.

–Alegría, alegría, alegríaaaaa –se desgañitaba eufórica.

–No deberías estar tan contenta con ese suspenso en Matemáticas –dijo Teo.

–Alegría, alegría y placeeeeer –seguía cantando.

Sus hermanos la miraban con resignación.

–No sé qué es peor –comentó Javier–. Si cuando está así o cuando está contra el mundo.

–Deja, deja –dijo su padre suspirando–. Que le dure.

Era un bonito deseo navideño. «Que le dure».

–¿Y entonces? –dijo Clara ansiosa cuando María le contó lo que había pasado.

Y María se dio cuenta de que no tenía respuesta para esa pregunta.

–No hemos quedado en nada... –dijo repentinamente seria–. Nosotros nos iremos ahora con mis abuelos, y para cuando volvamos, Jorge estará en la nieve con su padre.

–A ver si, con tanta nieve, se va a enfriar lo vuestro.

–Muy graciosa, Luján. Muy graciosa.

Nunca hubo unas Navidades tan largas para María. Tan pronto estaba eufórica como odiaba al mundo en general, y a su familia en particular, por mantenerla alejada de Jorge. Los momentos de euforia coincidían con los minutos posteriores a recibir un mensaje de él. No es que fueran declaraciones de amor; muchas veces eran solo pequeñas bromas privadas. Jorge enviaba una foto de la montaña con el mensaje: «¿Dónde está el Yeti?». «¡Detrás de la montaña!», respondía María. «Chica lista», respondía Jorge. María no necesitaba más para sonreír.

Los días pasaban entre mensajes, recuerdos, ensoñaciones, turrón y fiestas. ¿No dicen que la Navidad es tiempo de ilusión?

–Por un nuevo año especialmente importante –brindó el padre de María en Nochevieja–. Y por todas las ilusiones que caben en una cartera –dijo dedicando una mirada especial a su madre.

Ella le respondió con una sonrisa cómplice y dijo, fingiéndose resignada:

–Cásate con un publicista para esto.

Al chocar las copas, María tuvo claro qué deseo pedir. Parte de su deseo se cumplió de inmediato: un mensaje de Jorge felicitándole el año nuevo.

A partir de entonces, empezó a contar los días que quedaban para que acabaran las vacaciones sin saber que también su madre lo hacía, aunque por otros motivos.

Seis, cinco, cuatro, tres, dos, uno...

QUERIDA MARÍA:

NO TE PREOCUPES. ESTAMOS PREPARADOS.

MUCHOS MIMOS,

JORGE

La noche del tres de enero, cerca de las dos, María dormía plácidamente cuando su móvil empezó a sonar.

Medio dormida, palpó la mesilla hasta encontrarlo y se lo llevó al oído con más prisa porque dejara de sonar que por saber quién llamaba.

Lo primero que escuchó fue una especie de crepitar furioso.

−¿Sí? −preguntó en voz baja−. ¿Hola? ¿Sí?

Por fin se escuchó una débil vocecilla a lo lejos.

−¿María? ¿María?

Ella sintió un vuelco en el corazón. Era él.

−Sí, soy yo −respondió. Y se sintió estúpida al instante. ¿Quién iba a ser, si no?

Luego Jorge dijo algo inaudible. El padre de María se asomó a la habitación en pijama y la miró con cara de interrogación. María le hizo un gesto para que se fuera.

−Te oigo fatal −susurró María.

−... salido con... año... menos... −escuchó.

−¿Qué? ¿Qué? Te oigo a trozos.

−... cobertura... mierda... ... veza... tú sa...

María apretaba el teléfono contra la oreja como si quisiera incrustárselo. La oreja le ardía. Quería gritar, pero tenía que hablar en voz baja. Quería dejar de oír esas malditas interferencias. Y las dejó de oír. En su lugar, pasó a escuchar el exasperante pi-pi-pi-pi que anunciaba el fin de la llamada.

Desesperada, rabiosa y feliz, intentó volver a conciliar el sueño. En vano.

Jorge volvió de la nieve el día anterior a empezar las clases, a última hora de la mañana, y lo primero que hizo, después de saludar a su madre y a su hermana, fue mandar un mensaje a María.

«*Snowman* is back».

María titubeó un momento ante las teclas. Finalmente se decidió a escribir:

«¿Bajas?».

Antes de salir de casa, María pasó por el baño, se miró en el espejo y se lavó los dientes. Luego se puso la chaqueta nueva, regalo de Reyes. En el ascensor se ajustó el cinturón, probó a recogerse el pelo en una coleta, se lo soltó y se lo volvió a recoger. Justo antes de salir, se pellizcó las mejillas como había visto hacer a Escarlata O'Hara en *Lo que el viento se llevó*.

Cuando llegó al banco, Jorge ya estaba allí. El cosquilleo en el estómago también.

–Vaya; el más rápido –dijo María–. Y el más moreno.

Jorge sonrió. Sus dientes se veían aún más blancos. Miró a María con especial detenimiento. Repasó sus ojos, su nariz, su boca, su cuello... De pronto, se llevó la mano a la frente.

–¡Ay, espera! ¡Me he olvidado una cosa en casa! Un regalito que han dejado los Reyes para ti –dijo, y salió corriendo.

«No me extraña. Es que soy muy buena», pensó María cuando Jorge ya había desaparecido de su vista. Siempre se le ocurrían las respuestas ingeniosas cuando ya era demasiado tarde para decirlas.

Sentada en el banco, María movía el pie frenéticamente. Jorge tardaba. María se volvió a soltar el pelo, se peinó las cejas, se ató más fuerte los cordones de las zapatillas, volvió a hacerse una coleta, volvió a soltarse el pelo, se puso de pie. Y entonces llegó Jorge con cara de fastidio, Ingrid en una mano y algo rojo embrollado en la otra.

—Mi madre se ha empeñado en que lleve a la enana a comprar cromos —resopló.

—Hola —dijo Ingrid con una sonrisa encantadora.

—¿Y esto? —preguntó María señalando la cosa roja.

—Para ti.

43

Jorge dio un tirón y dejó que aquel trozo de lana se desenrollara como una serpiente. Ante los ojos de María apareció una bufanda roja de lana con bolitas.

Jorge la agarró con las dos manos y la hizo volar sobre la cabeza de María. Cuando la bufanda colgó de su cuello, con gesto cuidadoso, tomó un extremo, rodeó el cuello de María y dejó que le colgara por la espalda.

–¿Qué... qué es esto? –preguntó María.

–Lo llaman bufanda. Se utiliza para protegerse del frío. Algunas las venden hechas y otras las hacen las abuelas.

–Ya, bobo. Eso ya lo sé. Pero... –dijo frunciendo el ceño.

–Era de un colega tuyo.

–¿Un colega?

–Sí, un muñeco de nieve. Estaba en medio de un descampado, cerca del apartamento. Lo vi y me acordé de ti. Pensé que a ti te haría más falta.

–Muchas gracias. Me encanta.

María acarició la bufanda.

–Vámonos, Jorge –dijo Ingrid–. Ha dicho mamá que nos demos prisa.

–También llevaba sombrero –dijo Jorge ignorando a su hermana–. Uno de esos de cartón que regalan en Nochevieja.

–¿Y ese a quién se lo has regalado?

–¿Por quién me tomas? El sombrero se lo dejé puesto –y añadió en voz baja–: Yo no robo por cualquiera.

María sintió que si sonreía un poco más, se le desencajaría la mandíbula. Durante unos segundos, ninguno dijo nada.

–Vámonos –aprovechó para reclamar la pequeña–. No vamos a llegar a tiempo.

–¿Qué más tenía? –preguntó María con el único propósito de retener a Jorge.

–¿Quién?

–El muñeco.

Jorge se quedó pensativo.

–Mmm. Tenía ojos... –dijo mirando fijamente a los ojos de María–. Pero se los tapaba con un antifaz.

–¿Y qué más?

–Tenía nariz –dijo Jorge mirando la nariz de María–. Una trompetilla.

–¿Y boca? ¿Tenía boca? –dijo María mirando la boca de Jorge.

–¡Vámonos ya! –volvió a gritar Ingrid.

Jorge dio un paso hacia María, hacia la boca de María. María dio un paso hacia la boca de Jorge.

–No, creo que se la habían robado –susurró él a escasos centímetros de ella.

María entreabrió los labios y tragó la nube de vaho que exhaló Jorge al hablar. «Si los muñecos de nieve besan, tienen que besar así», pensó. Y entonces comprobó cómo besaban los pájaros que no emigran en invierno, cuando Jorge le robó un tímido beso en los labios.

Ingrid volvió a tirar de la mano de Jorge.

–Me tengo que ir –dijo él en un susurro.

Cuando se alejaban, María oyó preguntar a la pequeña:

–¿Es tu novia? ¿Y Raquel?

44

María llegó a casa con la bufanda y la sonrisa puestas. Y con ellas siguió todo lo que quedaba de día. Encerrada en su cuarto, María olía la bufanda. Dudaba mucho que los muñecos de nieve tomaran postre, pero aquella bufanda olía a pomelo. Igual que Jorge.

–¿Y esa bufanda? –dijo su madre al verla.

–Era de un muñeco de nieve.

Su madre la miró extrañada.

–Échala a lavar.

–¡No! –saltó María–. No hace falta.

A última hora, Clara subió a su casa a enseñarle el nuevo móvil que había recibido por Reyes. Nada más ver a María, se echó a reír a carcajadas.

–¿De qué vas disfrazada?

–¿Por qué lo dices? –preguntó María–. La minifalda es regalo de mi tía...

–No es por la falda. ¡Es esa bufanda!

–Ah, esto –dijo María atusando la bufanda con una sonrisa de oreja a oreja–. Cómo se nota que no lees mi blog[12].

–¡Pero bueno! ¿No quedamos que me lo contarías antes a mí?

María sonrió misteriosamente.

–Pues Sandra sí lo ha leído. Hasta ha puesto un comentario. Y también hay un comentario muy divertido de alguien que no sé quién es. Es alguien que dice que es un muñeco de nieve. ¿Será Jorge? –siguió diciendo María mientras acariciaba la bufanda–. Le pega un montón ese comentario. Pero es imposible. Yo no le he dado la dirección del blog. Y es imposible que lo haya localizado.

–¿Pero me quieres contar de una vez lo que pasa? –la interrumpió Clara–. ¿O es que va a hacer falta que me meta en tu blog para saber de ti?

---

[12] Enlace a la entrada del blog «Dime qué te regala y te diré si te quiere» <www.e-sm.net/regalos>

En realidad, para saber de María solo había que mirarla a los ojos. Sus ojos sonreían aún más que su boca. No tuvo interés en hablarle de ningún otro regalo que no fuera la bufanda de Jorge. Por otro lado, era inútil que Clara se molestara en contarle y mostrarle todas las características de su nuevo móvil. María asentía y sonreía.

–Pinilla, no me escuchas –dijo Clara después de un buen rato.

María se limitó a sonreír una vez más.

El primer día de clase después de Navidad, María salió de casa con su cazadora nueva y su bufanda roja. Clara puso los ojos en blanco al verla.

–Estás fatal –le dijo.

María la ignoró y avanzó sonriente hacia el portal. Al llegar a la calle, se cruzaron con Edgar, que barría la entrada.

–¡Muy buenos días! –saludó eufórica María.

–Vaya, parece que hoy se reparten dosis extra de buen humor –dijo el portero mirando hacia la derecha. Ahí, a lo lejos, avanzaba Jorge hacia el colegio–. Bonita bufanda, María.

–¿A que sí? –dijo María echándose la bufanda hacia atrás, y salió rauda y veloz, seguida de Clara.

Aquel día, a la hora del recreo, Jorge regaló a María un dibujo donde aparecían ellos dos rodeados de corazones de fuego traspasados por espadas. Poco después, intercambiaron las palabras necesarias para que esa fecha pasara a formar parte de su calendario personal.

Qué fecha, a qué hora, nace un amor es algo difícil de precisar. ¿Nace la primera vez que vemos a la persona amada? ¿O la primera vez que, al buscarle los ojos, nos encontramos correspondidos con la misma mirada, esa que no pretende ver sino entrar a través de las pupilas? ¿Nace la primera vez que pronunciamos su nombre como si invocáramos todo el universo? ¿Nace cuando se dice, cuando se reconoce: «Te quiero»? ¿Nace y crece tan poco a poco que no se sabe cuándo nació? Nadie registra, cronómetro en mano, la fecha de nacimiento de un amor. Pero todo el mundo necesita un número rodeado con rotulador rojo en el calendario.

Lo verdaderamente difícil de precisar en el momento de marcarlo es por cuánto tiempo se seguirá celebrando. Del mismo modo en que no se sabe cuál será el futuro de una semilla cuando se planta en el suelo, la incertidumbre también es la esencia de las semillas de los aniversarios.

46

A la vuelta de clase, Jorge y María fueron de la mano. Clara se inventó una excusa para quedarse en la papelería y dejarlos a solas.

Nada más doblar la esquina, desde lejos, vieron que ante el portal de la urbanización se arremolinaba un pequeño grupo de gente. Anoraks de colores.

—Vaya, aquí están —dijo Jorge parándose en seco.

—¿Quiénes?

—Los reporteros.

Era obvio. Los que no llevaban una cámara, llevaban un micrófono.

—¿Qué hacen aquí? —preguntó María.

—No lo sé —dijo Jorge con cierta preocupación—. Será por lo del reportaje de la revista. Mi madre ha vuelto a ser noticia, y además esta semana se estrena su nueva serie.

María se dijo a sí misma: «Salgo con el hijo de Rebeca Lindon». Jorge estiró el cuello para calibrar mejor la situación.

—Mira, aquel alto es Vicente. Aquella otra, la de la trenza, es Cristina. Trabaja para una agencia. No la había visto desde que mi madre volvió con Pichi. Aquella... —empezó a decir. Pero se quedó sin habla.

—¿Los conoces a todos? —preguntó María, despreocupada.

Jorge seguía paralizado. Vicente había dado unos pasos hacia delante y tras él había aparecido otra persona que los miraba fijamente. «Aquella». Jorge tragó saliva y la señaló con la cabeza.

—Sí, los conozco —dijo muy serio—. Sobre todo, a aquella.

«Aquella» no llevaba una cámara de fotos. «Aquella» no era periodista. «Aquella» llevaba un paquete envuelto en papel de regalo.

—¡Raquel! —exclamó María.

Y casi sin darse cuenta, se soltaron las manos.

Cada vez que María recordaba lo que había sucedido, se tapaba los oídos. Era absurdo. Las voces estaban dentro de su cabeza y no iban a cesar por mucho que se llevara las manos a las orejas. Y no dejaba de recordar. Los gritos de Raquel, su forma de llorar, la manera en que la había mirado, con aquella furia, las miradas ansiosas de todos los reporteros, la mirada compasiva de Edgar, los trozos de envoltorio desgarrados y pisoteados, los lápices de colores por toda la acera, la mirada perpleja y perfectamente maquillada de su madre al llegar al portal y encontrarse la escena, los cuchicheos de aquellos reporteros que estaban junto a Raquel («¿Esa no es Candela Brines?». «Ni idea». «Es diputada. Es que yo antes estaba en la sección de Nacional»), la frialdad de su madre al mirar a Jorge y decir: «Hija, sube a casa», un par de flashes...

Allí, en casa, María volvía a escuchar la voz de Raquel gritando a Jorge. «Así que no tenemos cosas en común, ¿no? ¡Era eso! ¡Ese era el motivo! ¡Era ella lo que no teníamos en común! ¡Cerdo!». Las palabras venían una y otra vez a su mente acompañadas de una larga uña roja como su bufanda, la del dedo que la señaló. En ningún sitio estaría a salvo de esa uña roja.

Desde su ventana, María vio cómo Jorge intentaba calmar a Raquel. La había hecho pasar dentro de la urbanización, lejos de las escrutadoras miradas de los reporteros. Ella se había ido con su madre.

–¿Qué era todo aquel circo? –le preguntó de camino a casa.

–No sé, mamá –contestó María–. Algo de Rebeca Lindon.

Su madre calló. «Rebeca Lindon» había resultado ser un conjuro mágico que la volvía muda repentinamente.

Pero ahora, desde la ventana, podía distinguir la cazadora azul del hijo de Rebeca Lindon al fondo del jardín. El rosal tapaba a Raquel, pero pronto vio sus brazos rodeando la cazadora azul de Jorge. De pronto, ella se marchó corriendo. Él se quedó medio oculto tras el rosal. No fue tras ella. Salió de aquel recodo y miró hacia la ventana de María. Ella levantó la mano a modo de saludo. Empezó a llover. Aguanieve.

Desde el pasillo, Javier llamó a María:

—¡Que dice mamá que vengas!

Cuando llegó al salón y vio a sus padres sentados en el sofá, con la tele apagada, y a Javier y Nicolás a sus pies, supo que algo pasaba.

—Tenemos una cosa importante que anunciaros —dijo Candela—. Además, os tengo que presentar a una persona.

Querido Jorge:

Te escribo a todo correr antes de salir. Al final iremos al Maracaná, para variar. Hay fiesta de máscaras. Me vendrá bien. Clara ha conseguido dos caretas muy graciosas de Daisy, la de Donald, y de Minnie Mouse. Yo me he pedido Minnie. Me pondré el jersey negro de cuello vuelto, una falda de lunares de mi abuela, remangada, unos leggings negros y un lazo en la cabeza. Detrás estaré triste, pero ya sonreirá la máscara por mí. Me parece el plan perfecto para el día de hoy: no mostrar mi verdadera cara, asegurarme de que alguien sonríe en mi lugar. Bueno, el plan perfecto sería estar abrazada contigo en aquel refugio que inventaste para los dos. Ahí sí que podría quitarme la careta. Así podrías besarme mejor.

Si sigo pensando en ello, me echaré a llorar.

Estoy nerviosa, muy nerviosa. Noto que mis padres también. Saltan a la mínima. Intento pensar que no puede ser peor que cuando salió Raquel en el otro programa. Pero no siempre lo logro. Se me llena la cabeza de palabras, y no suenan nada bien. Jorge, Jorge, Jorge, Jorge...

Te quiero,

María

48

Al oír que su madre quería presentarles a una persona, María creyó entenderlo todo. Por qué su madre llegaba tan tarde últimamente, por qué se arreglaba tanto, por qué estaba tan tensa...

Cuando Candela hizo pasar al salón a un hombre fuerte, alto y trajeado, en la cabeza de María volvieron a sonar las palabras de Raquel: «¡Ese era el motivo! ¡Era ella lo que no teníamos en común! ¡Cerdo!». Solo que ahora cambiaban de género y dolían de otra forma. Ahora podía imaginarlas en boca de su padre: «¡Era él lo que no teníamos en común!».

–Pasa, Óscar, por favor –dijo Candela, y luego añadió mirando a sus hijos–: Este será uno de los cambios.

Minutos después, María comprobaba que estaba equivocada, que su padre no era tan mal publicista, y que hay más carteras que las que se llevan en el bolso.

Una hora después, en las escaleras de su portal, sentados entre el primero y el segundo piso, María le dijo a Jorge que ella también tenía una madre famosa, y Jorge le dijo a María que Raquel se había ido prometiendo venganza. Pero nada de eso importó cuando, poco antes de que un avión cruzara el cielo, sus labios se acercaron y el tiempo se detuvo (PAUSE) para que Jorge y María se dieran su primer beso largo (PLAY).

Llegó el escolta. Y María le pidió que guardara el secreto.

Aquella palabra quedó resonando en sus oídos. Secreto, secreto, secreto...

Lo había dicho de forma automática. Pero, cuando lo pensó, se dio cuenta de que había hecho bien. Recordó a su padre con Jorge, recordó la cara de su madre cada vez que se pronunciaba el nombre de la madre de Jorge y pensó que no hacía falta decir a sus padres que salía con el hijo de Rebeca Lindon.

Ni con el hijo de Berto Zaera.

49

El ocho de enero, por motivos bien distintos, la familia Pinilla Brines y la familia Fernández Lindon compraron todos los periódicos del día.

Aquel día toda la prensa anunciaba el nombramiento de tres nuevos ministros. Tras una brillante trayectoria profesional, Candela Brines pasaba a ocupar la cartera de Economía y Hacienda.

Rebeca Lindon era acusada de cometer un fraude fiscal.

Las fotos sonrientes de Candela y de Rebeca estaban separadas por tres páginas. Sus vidas estaban separadas por once ventanas y unidas por dos hijos. Y por Berto Zaera.

MARÍA, ¡NO LOS CREAS! ¡¡NO ES VERDAD!!

DIJISTE EN TU BLOG[13] QUE CUANDO TUVIERAS LA PERSIANA DE TU CUARTO CERRADA QUERÍA DECIR QUE ESTABAS DURMIENDO, «SOÑANDO CONMIGO». ESO DIJISTE. NO PUEDES ESTAR DURMIENDO TODO EL DÍA. ABRE LA PERSIANA. POR FAVOR, ESCRÍBEME. TENEMOS QUE HABLAR. ¡DESPIERTA! (TE DARÍA UN BESO PARA QUE LO HICIERAS).

[13] Enlace a la entrada del blog «Vida inmóvil». ‹www.e-sm.net/inmovil›

María notó el cambio en cuanto llegó al colegio. Sintió una nueva mirada en sus compañeros y en sus profesores. Por un lado, le incomodaba ser el centro de atención. Por otro lado, era agradable. Algunos profesores le dieron la enhorabuena. Ella sonreía.

Para Jorge, nada de todo aquello era completamente nuevo. No era peor que cuando sacaron aquellas fotos de su madre con un jugador de fútbol, ni peor que cuando dijeron que había agredido a una compañera de rodaje. Además, él y María tenían otros motivos para sonreír.

Podría estallar una guerra, o ponerse a temblar la tierra, que aquello solo habría sido el telón de fondo de su amor. No había otra cosa más importante que vivir ellos mismos, conjugados en un mismo verbo. Todo lo demás estaba de más. Porque Jorge y María vivían entregados a una sola cosa: elevarse juntos; ser mariposa, Supermán y cometa a un tiempo. Tres elementos que tienen algo en común —la capacidad, extraordinaria para quien no es pájaro, de volar—, pero cuya esencia reside en atributos tan diferentes: la belleza de la mariposa, el poder de Supermán y la vulnerabilidad de la cometa.

Escondidos en su banco, entre beso y beso, María confesó a Jorge que tenía un blog.

–¿Cómo no me lo habías contado antes?

–Bueno, tengo la teoría...

–Ya salió Mariteorías –dijo Jorge.

–Pues sí, y mi teoría es que cuantas menos personas saben algo, más vale. Por eso la receta de la coca-cola es secreta. Y por eso hay cosas que solo se cuentan a uno o dos amigos. Si lo cuentas a más, ya no es lo mismo. Es como si valiera menos.

–Pero un blog... –empezó a decir Jorge.

–Mi blog solo lo conocen Clara, Magda, Unai, Nerea y Sandra. Y ahora tú, claro. Aunque... –María ya iba a contarle lo del misterioso comentario del muñeco de nieve, pero finalmente se contuvo. No iba a dejar que un comentario anónimo estropeara una bonita Mariteoría.

Jorge aprovechó los puntos suspensivos para darle otro beso. Entonces María recordó por qué le había hablado en ese momento del blog.

–Espero que no te importe, pero he escrito sobre ti –dijo cuando dejaron de besarse por un momento.

–¿Sobre qué de mí?

–Sobre esto, por ejemplo –dijo María, y le dio otro beso.

–Te refieres a lo bien que beso –dijo Jorge cuando sus labios se separaron.

–Igual la que besa bien soy yo –contestó María.

–Deja que lo compruebe.

No veían el momento de separarse. En lo que quedó de tarde, casi tampoco vieron el momento de hablar. Porque todo se lo decían con la boca, pero apenas con palabras.

Sin embargo, había que subir a casa, y acabaron haciéndolo con la misma resistencia con que se separan dos imanes. Igual que les sucedía a los imanes, alejarse el uno de la otra no estaba en su naturaleza.

Cuando María entró en casa, la recibió Nicolás gritando:

–¡Corre, María! ¡Va a salir mamá en la tele!

–Ay, enano. Me temo que tendrás que ir acostumbrándote. Como grites así cada vez que la veas, te vas a quedar sin cuerdas vocales.

El padre de María le hizo un gesto para que se acercara y dijo:

–Están a punto de entrevistarla en el telediario. Esta va a ser como su carta de presentación. Chist.

A María le sorprendió ver a su madre en la pantalla. Se la veía guapa, aunque un poco mayor de lo habitual. Sería el peinado, tan hueco. No parecía nerviosa, y respondía con aplomo y seguridad a todas las preguntas. Agitaba las manos igual que solía hacer María cuando hablaba de algo que le gustaba, y acompañaba muchas respuestas con una sonrisa. Desde casa, el padre de María también sonreía al verla, y en un par de ocasiones murmuró al oírla: «Muy bien, muy bien». En otra ocasión, hizo una mueca y un chasquido con la lengua.

El presentador hilaba una pregunta con otra, y Candela respondía con soltura. Coyuntura económica... impuestos... crisis... inflación... fortaleza... A oídos de María, las palabras caían como gotas de lluvia hasta que de pronto sonó un trueno.

–Estos días ha salido a la luz el caso del presunto fraude fiscal por parte de Rebeca Lindon. ¿Se van a plantear desde el ministerio medidas extraordinarias para casos como el de la actriz?

Candela miró hacia un lado. Por primera vez en toda la entrevista, se tomó unos segundos para responder. En casa, Teo se separó del respaldo, repentinamente serio.

–En todos los casos, actuaremos de acuerdo con la legislación vigente –respondió finalmente Candela.

El presentador se quedó en silencio, esperando que desarrollara su respuesta. Fue un segundo que pareció una hora, antes de que pasara a la siguiente pregunta.

Su padre se giró hacia María y la miró achinando los ojos. Ella quiso que se la tragara el sillón. Como no lo hizo –aún no se ha inventado el sillón que trague a quien se cree culpable de algo y no sabe de qué–, María se levantó y se fue a su cuarto.

A hablar con Jorge.

En la casa de Rebeca Lindon, desde un sillón parecido, se había escuchado la misma entrevista. También Rebeca había mirado a Jorge, y tampoco el sillón se lo había tragado por más que él lo deseara. Sobre todo cuando Rebeca Lindon comenzó a gritar desaforadamente:

–¡Lo que me faltaba!

–¡Es la vecina! –decía Ingrid–. ¡Es la mamá de la novia de Jorge!

Rebeca Lindon dio una calada a su cigarro inspirando profundamente.

–Jorge –dijo muy seria–. Tú no sabes lo que estás haciendo. ¡¡Y Raquel!! ¿Qué tenía de malo Raquel?

Jorge dejó aquella pregunta flotando en el aire y se fue a su cuarto. En pocos días, Rebeca habría tenido respuesta para esa pregunta. Pero Raquel aún no había puesto en marcha su venganza.

Desde aquel momento, salir de casa se convirtió en un ejercicio de riesgo para varios de los habitantes de aquella urbanización.

Óscar, el escolta, acompañaba a Candela cuando se iba a trabajar. A Rebeca la recibía una nube de reporteros cada vez mayor. Uno de ellos no tardó en anunciar en televisión aquella casualidad.

«Se da la curiosa circunstancia de que la actual ministra de Economía, Candela Brines, vive en la misma urbanización que la actriz Rebeca Lindon, quien además nunca ha ocultado su antipatía por el partido de la ministra e incluso ha participado en campañas a favor del partido de la oposición», dijo la reportera.

Desde el plató, un comentarista pretendidamente gracioso apostilló:

–Imagínate las reuniones de la comunidad de vecinos.

Pero los comentarios no habían hecho más que empezar.

Aquel viernes era el primero en que María y Jorge saldrían juntos. María se probó un vestido, tres faldas, una blusa y un jersey; Jorge se cambió cuatro veces de camisa. Por fin, María escogió una chaqueta que tenía la sisa muy amplia y una minifalda de colores. Le quedaba mejor el vestido negro, pero se sorprendió a sí misma pensando que era demasiado inaccesible, casi una coraza. Y no quería ponérselo tan complicado a Jorge, que, por lo demás, resultaba tan tiernamente torpe. De vez en cuando, María pensaba en Raquel y se le encogía el estómago. ¿Y si...? Raquel parecía tan mayor en comparación con ella... María había compartido sus inquietudes con Clara, pero aun así seguía nerviosísima. Incluso había escrito aquella entrada en su blog: *To do it or not to do it*[14].

Sin saberlo, Jorge y María se echaron la colonia en el mismo momento. Olor a pomelo. Olor a limón. La música sonaba en aquellas dos habitaciones separadas por once ventanas. Todo era posible en aquel momento. Era la hora de Supermán.

Habían quedado en la esquina de fuera, en vez de en el banco de la urbanización. Lo propuso Jorge. María no lo discutió.

–Adiós, Edgar –se despidió Jorge al pasar.

Edgar le devolvió su sonrisa como si fuera un espejo.

A esa hora, ya no había reporteros.

–Adiós, Edgar –dijo María un minuto después.

Edgar le abrió la puerta. Ella se dirigió con paso ligero hacia la esquina. Edgar la siguió con la mirada y esbozó una sonrisa melancólica. Con aquella falda vaporosa de colores, le recordó a una mariposa. En su garita reposaban un libro y el periódico abierto por las páginas de economía.

---

[14] Enlace a la entrada del blog «To do it or not to do it».
<www.e-sm.net/do>

Después de cantar un par de canciones en el karaoke, María y Jorge fueron al Maracaná. Allí dentro, sentados en un rincón oscuro, estaban demasiado ocupados para hacer caso a ese teléfono que se iluminaba una y otra vez. María y Jorge se besaban, no como lo hacen los muñecos de nieve, ni como los pájaros en invierno. Se besaban como dos kamikazes que saben que no hay mañana.

Jorge rodeó a María por la cintura. María puso sus brazos sobre los hombros de Jorge.

—Hola, muñeco de nieve —susurró Jorge.

—Hola, *Snowman* —susurró María.

Ladearon las cabezas y se esperaron unos segundos. PAUSE. Se miraron sonriendo, con los labios a punto de rozarse. Sonaba una canción bailable que ellos no pensaban bailar. Prácticamente no la oían. Estaban dentro de una burbuja donde solo se oía el galopar de sus corazones. Y entonces... PLAY. Como si formara parte de una coreografía, los dos cerraron los ojos, entreabrieron los labios al mismo tiempo y se buscaron. María sintió el sabor mentolado de Jorge, fresco como la nieve. Pero no tenían nada de frío. Sin dejar de besarse, él subió la mano y se enredó con la amplia manga de la chaqueta de María. Ella se retiró despacio y miró sonriendo a Jorge. Luego, discretamente, bajó un poco el hombro para ayudar a Jorge a liberarse de aquella manga telaraña.

—Perdona —susurró él, y se acercó al cuello de María. Olor a limón.

Aquella manga tan abierta —antes telaraña, ahora túnel secreto— le condujo hacia el cuerpo tembloroso de María. El muñeco de nieve sintió que se derretía.

María se acercó despacio a la oreja de Jorge. Olor a pomelo. Con una mano acariciaba su pelo y con la otra recorría su espalda.

Al bajar la mano, sintió la vibración del móvil en el bolsillo de atrás.

—Me parece... —susurró, y le dio un beso— que te está sonando... —siguió susurrando y le dio otro beso— el móvil.

Sin dejar de besarla, Jorge le dijo al cuello de María:

—Hace tiempo.

Y siguió besándola.

María bajó la otra mano por la espalda y sacó el móvil del bolsillo de Jorge. Abrió los ojos con pereza y miró la pantalla.

Entonces se retiró bruscamente.

—¿Qué pasa? —dijo Jorge.

Veintisiete llamadas perdidas y trece mensajes.

Jorge miró el móvil y sintió el vértigo de la cometa que cae en picado.

–Ha pasado algo –anunció a María–. Es mi madre. Dice que tengo que volver a casa inmediatamente.

–Te acompaño –dijo María recolocándose la blusa y atusándose el pelo.

Jorge la miró con ternura. Él mismo no estaba muy seguro de si hacer caso a los mensajes, pero la decisión con que María respondió despejó cualquier duda.

–Gracias.

María se acercó a avisar a Clara, que estaba con Magda, Nerea y Unai.

–Clara, me voy a casa.

–¿Tan pronto?

–Luego te cuento.

–Pero ¿todo bien?

–Espero que sí.

MARÍA, POR FAVOR, CONTÉSTAME. DIME ALGO. ABRE LA PERSIANA DE TU CUARTO. NO ES VERDAD. EL ABOGADO DE MI MADRE YA HA PUESTO UNA DEMANDA. POR FAVOR, ESCRÍBEME. TENEMOS QUE HABLAR.

TENEMOS QUE SALIR DE AQUÍ DEBAJO.

56

María quiso quedarse esperando en el banco.

–No, hace mucho frío –dijo Jorge–. Además, no sé si podré bajar. Depende de lo que sea...

Por el camino habían estado elucubrando sobre qué podría ser aquello tan urgente por lo que reclamaban su presencia en casa.

–Lo extraño es que no me lo haya escrito –pensaba Jorge en voz alta. De pronto, se preguntó angustiado–: ¿No le habrá pasado algo a Ingrid?

–No, no creo... ¿Y no será algo de tu madre y... y... y Pichi?

–¿Qué insinúas? ¿Que se separen o algo así?

María asintió.

–Te equivocas –dijo Jorge–. Mi madre será lo que quieras, gritará y chillará, y a Pichi al que más, pero se quieren un montón. No, no creo. Igual ha salido alguna noticia nueva...

–Pero ya ha pasado el telediario. A estas horas solo hay...

–Programas del corazón.

Finalmente, cada uno subió a su casa. Y allí, en sus casas, se encontraron, los dos, a Raquel.

Raquel hablaba y hablaba desde la pequeña pantalla. Con aquellos tacones y aquel maquillaje parecía aún mayor. Y nerviosa.

La noticia de la presunta estafa y el estreno de su nueva serie habían devuelto a Rebeca Lindon al centro de la crónica social, y Raquel era, o eso no se cansaban de repetir en el programa, «una de las pocas personas que han podido conocerla de cerca». Raquel contaba detalles sin importancia de la vida de Rebeca Lindon. Respondía a todas las preguntas. Cómo era su casa, aunque ya todos la habían visto en las revistas. Cómo la había tratado. Cómo había celebrado su cumpleaños hacía unas semanas. Qué le había regalado ella.

—Raquel, después de haber salido tanto tiempo con Jorge, el hijo de Rebeca Lindon —dijo el presentador con gran pompa—, ¿por qué has decidido contar ahora todo esto?

«Todo esto» era nada, pero Raquel no se paró a puntualizarlo. Arrastrada por el tono solemne del presentador, adoptó modales de tragedia y dijo:

—Por venganza. Jorge me puso los cuernos con una chica: María Pinilla, la hija de Candela Brines, la nueva ministra de Economía.

Desde su casa, la nueva ministra de Economía contemplaba atónita la pantalla del televisor. Junto a ella, María volvía a culpar a aquel sillón que se había revelado absolutamente incapaz de tragarla en el momento adecuado.

Las imágenes estaban preparadas. La cara de Raquel, o lo poco que se veía de ella tras el maquillaje, dio paso a una instantánea donde aparecían Jorge, María, Raquel, Candela y dos reporteros. Al fondo se veía a Edgar. Superpuesto, un rótulo: «El hijo de Rebeca Lindon me fue infiel con la hija de Candela Brines».

María ahogó un grito. Candela cerró los ojos.

Entró una llamada. Rebeca Lindon.

—¡Son menores de edad!

La foto desapareció de la pantalla. Pero ya no pudo desaparecer de las retinas del público.

Aquella noche, quince periodistas y varios curiosos teclearon en Google «María Pinilla». También lo hizo Yaiza Ramos. Y encontró, como casi todos los demás, a María Pinilla en Facebook. A ella… y a decenas de chicas y mujeres que se llamaban como ella.

Solo dos personas tuvieron la paciencia de rastrear una a una todas las Marías Pinillas registradas en Facebook. Yaiza Ramos no fue una de ellas. Para Yaiza, como para la mayoría, nada que no se encontrara en menos de medio minuto llegaba a existir.

De las dos personas que rastrearon todas las fotos, solo una, un periodista, supo reconocer en aquella María Pinilla tumbada boca abajo sobre la hierba ante un ordenador a la misma chica que aparecía en la foto junto al hijo de Rebeca Lindon.

Cuando quiso acceder a la información de su perfil, apareció este mensaje:

«Los usuarios que no son amigos de María solo ven parte de la información de su perfil. Si conoces a María personalmente, añádela como amiga».

Y entonces el periodista sonrió de medio lado y susurró:

–Chica lista.

Nadie descubrió su blog. Yaiza sí, pero no lo supo.

58

Páginas de papel y de bits, altavoces grandes y pequeños, pantallas estáticas y móviles, muros reales y virtuales... llenos de comentarios, saturados de mensajes. De menos y más de ciento cuarenta caracteres.

Una masa informe y anónima que no perdía nada por hablar ni por escribir. Solo el tiempo.

Un ruido que no cesa por más que uno se tape los oídos y que ahoga cualquier otro sonido. Solo se escucha eso, una y otra y otra vez. *In crescendo. Fortissimo.*

Palabras, palabras, palabras que forman una bola que impide respirar.

«María, qué calladito te lo tenías».

«Tu madre es una ladrona».

«Al parecer, el hijo de Rebeca Lindon comparte no solo urbanización, sino también colegio, con la hija de Candela Brines».

«Jorge, cabrón».

«Muy buena tiene que estar la otra. Porque la Raquel esa está para comérsela».

«¿No viste la foto? ¡Está mucho más buena Raquel!».

«Rebeca Lindon a la cárcel».

«No podemos olvidar que Rebeca Lindon ha protagonizado algunas de las mejores películas de los últimos años, cosa que no quita para que pague sus impuestos como todo hijo de vecino».

«Candela Brines es una inepta. Y su hija, una zorra».

«Yo me acosté con Raquel».

«Raquel, puta».

«Rebeca, tus fans están contigo».

«Creo que deberíamos dejar a los hijos a un lado en este debate. Al fin y al cabo, son dos críos, menores de edad, que están en plena edad del pavo. Posiblemente esto sea un tonteo pasajero, un rollito de esos, y mañana mismo dejarán de estar juntos».

«Soy vecina de Candela Brines y toda su familia es un encanto».

«Que le den Candela a Rebeca Lindon».

«Apúntate al grupo "Yo también quiero ver a Rebeca Lindon y a Candela Brines en una pelea de barro"».

«Aún es pronto para juzgar si la actuación de Candela Brines al frente del ministerio es desafortunada, pero desde luego no se puede negar que su elección de vecindario sí lo es».

«Las mosquitas muertas sois las peores».

«Jorge, tío bueno. Llámame».

«Quienes vivan con Candela Brines, en la misma urbanización... ¡ojito con la declaración!».

«A continuación les mostramos imágenes de una reciente entrevista a Candela Brines. En ella, la ministra muestra cierta incomodidad al ser preguntada por Rebeca Lindon. Ahora entendemos por qué».

59

La intervención de aquella chica en aquel programa coincidió con la irrupción de nuevas normas en casa de María.

Es así como hay que contarlo, «aquella chica», «aquel programa» y «coincidió», no «desencadenó», porque así es como lo contaría Candela Brines. Y porque emplear unas palabras u otras no es solo una cuestión de estilo. Cómo contamos la historia cambia la historia. Y, dicho así, estas normas no tenían nada que ver con aquello, aquel asunto que siempre se apartaba con palabras vagas y demostrativos lejanos, siempre «aquel», nunca «este». No, las nuevas normas se debían al descenso en el rendimiento escolar de María. Sí, mejor expresarlo así. Desde luego, para nada podrían relacionarse con la irrupción en la vida de María de aquel chico que residía desde hacía solo unos meses en la misma urbanización.

De cuyo nombre no quiero acordarme.

Lo importante era no nombrar. Porque nombrar es hacer real. Y la política Candela Brines era toda una experta en eludir la realidad a fuerza de alusiones. Eludir, aludir... diluir. Esa era su gran esperanza: «todo aquello» (solo así podía nombrarse) se diluiría, y pronto no quedaría ni rastro.

Mientras tanto, para María quedaba:

1. Prohibido el uso y tenencia de móviles o aparatos similares.

2. Prohibido el uso de internet. El único uso autorizado de internet será con finalidades escolares y será supervisado por uno de los progenitores. El único ordenador con conexión de la casa será el del salón. Queda bloqueada la conexión a internet desde el ordenador del dormitorio.

3. Prohibido ver la televisión.

4. Prohibido permanecer en las zonas comunes de la urbanización antes y después de las clases. Dichas zonas serán utilizadas exclusivamente como zonas de paso.

5. Las entradas y salidas de casa serán negociadas y supervisadas por los progenitores.

No estaba prohibido –no estaba contemplado– llorar encerrada en el cuarto.

60

Si yo fuera el marido actual de Rebeca Lindon, si yo fuera Pichi Fernández, el gran guionista, escribir esta escena sería muy sencillo para mí. De hecho, lo sucedido en casa de Jorge tuvo el tinte dramático que solo una gran actriz como Rebeca Lindon sabría dar. Pero, para mi desgracia, no soy Pichi y, por más que se empeñen, los culebrones no son lo mío.

Aunque no lo haga tan bien como Pichi, sí puedo contarte que en casa de Jorge fue distinto. También hubo lágrimas, pero no cayeron silenciosas sobre una almohada. Y también hubo prohibiciones. Pero estas sí tenían nombre propio.

—Jorge, te prohíbo que salgas con María —anunció Rebeca Lindon con voz glacial.

—Mamá, no puedes hacer eso.

—Sí puedo.

—No. Yo quiero a María y eso no puedes impedirlo.

—¡Vaya! Nos ha salido romántico —dijo Rebeca con sorna.

Jorge cerró los ojos y se levantó del sofá dispuesto a irse.

—¿Y si te cambio de colegio? —le retuvo su madre.

—Mamá...

—¿Crees que no puedo hacerlo? ¡Claro que puedo!

—Mamá, por favor.

—De momento, te prohíbo salir durante diez fines de semana. ¿Qué te parece eso, eh? ¿Puedo o no puedo?

—¡¡Tú no puedes hacer nada!!

Rebeca bajó la voz.

—Mira, Jorge. De verdad, lo hago por tu bien. No es bueno para ti salir con esa chica.

—Con María. Esa chica se llama María.

—No es bueno que salgas con María.

—¡Tú qué sabrás qué me conviene! ¿Salir con Raquel? ¿No era eso lo que querías? ¿Eh? —preguntó desafiante—. No tienes ni idea.

–¿Que no tengo ni idea? –gritó Rebeca–. ¿Yo? ¿Yo, que he tenido ocho parejas y he pasado por un divorcio? ¡No, claro! ¡Yo no sé nada! El niño podría darme lecciones, porque él sí sabe lo que es el amor.

–No conoces a María –dijo Jorge dolido.

–Sé de ella lo suficiente como para saber que lo vuestro no puede durar –luego, suavizó el tono y añadió–: Mira, Jorge, no dudo que la quieras. Ahora mismo crees que no hay nadie más en el mundo con quien quisieras estar, ¿verdad?

Jorge asintió con la cabeza. Su madre se levantó, le acarició el pelo y continuó hablando en tono sereno:

–Vi el dibujo que le hiciste el otro día, ese en que salís María y tú rodeados de corazones.

–¡Mamá! –exclamó Jorge, tan enfadado como avergonzado.

–Entré en tu cuarto para sacar a Ingrid y lo vi encima de la mesa –se justificó su madre–. Era precioso. Me recuerdas tanto a tu padre... Solo que tú cuentas lo que sientes con dibujos, y él con palabras –y añadió como para sí misma–: Debería escribir un libro.

Pese a que su madre le felicitara por ello, Jorge se avergonzó de sus dibujos, se avergonzó de los corazones, se avergonzó de haber dicho a su madre que quería a María. En ese momento sintió que del corazón le salía una llama, pero no era de amor sino de ira. Y luego notó una de aquellas espadas que dibujaba traspasándole el corazón: nunca le había dicho a María «te quiero». No con palabras.

Su madre lo abrazó y le susurró:

–Estas cosas no salen bien. Créeme. Sois demasiado distintos.

–Nosotros no somos distintos. Sois vosotras las que sois distintas, tú y su madre –respondió Jorge con los brazos pegados al cuerpo, negándose a responder a aquel abrazo.

–Pero no estáis solos.

–Tampoco lo estaban los protagonistas de *Fruto de la tierra* –dijo Jorge conteniendo el llanto y la rabia, lo primero con más éxito que lo segundo.

Su madre se separó un poco, le volvió a atusar el pelo y rio con suavidad. No había asomo de ironía en aquella risa, solo grata sorpresa. Con aquella risa, Rebeca reconocía que su hijo era un hombre de recursos. Al fin y al cabo, el argumento estaba bien traído. *Fruto de la tierra* era una de las últimas películas de Rebeca Lindon. En ella interpretaba a una noble que se enamoraba de un joven campesino. Era un amor imposible, pero, tras muchas dificultades, lograban estar juntos. Aun así, Rebeca lo tenía claro:

–He rodado suficientes películas y he rodado lo suficiente fuera de ellas como para saber que existe una gran diferencia entre el cine y la vida.

Volvió a abrazar a su hijo y añadió:

–Sé de lo que hablo. Estas cosas solo salen bien en las películas.

–O en las novelas –susurró Jorge desde el hombro de su madre. De pronto, notó que se le humedecía la camisa. Su madre lloraba. Los brazos de Jorge dejaron de colgar inertes y la rodearon con indecisión.

–Ay, mi niño –suspiró ella.

Luego se apartó con delicadeza y dijo:

–Tu padre también quiere hablar contigo. Y este mes prefiero que no salgas.

–¿Prefieres?

–Te lo prohíbo.

61

María no tuvo que explicar nada a Clara. Para cuando volvieron a verse, Clara había recibido cientos de mensajes, más aún que los que habían recibido directamente Jorge y María. Hablar en tercera persona parecía resultar mucho más cómodo que hacerlo en segunda persona, tal y como pronto comprobaría María.

Incluso a Clara le resultaba violento hablar con ella del tema. ¿Cómo iba a decirle todo lo que había leído sobre Jorge y sobre ella? Clara solo podía ofrecerle su rabia.

—Esa tía es una muerta de hambre —le dijo a María hablando de Raquel.

María no tenía ganas de hablar de Raquel, ni de hablar de nada. Solo tenía ganas de ver a Jorge. Pero ¿cómo hacerlo si sus padres vigilaban cada paso que daba? Entonces tuvo una idea.

—Vas a tener que ayudarme —pidió.

—Lo que quieras, María —dijo Clara.

María echó de menos que no la llamara «Pinilla». Todo habría parecido tan normal si Clara la siguiera llamando como siempre... Pero era imposible seguir actuando como siempre cuando una mentira lo había cambiado todo. Y no sería la última mentira.

MARÍA, ¿RECUERDAS LO QUE ME EXPLICASTE DE LA MADRESELVA Y EL AVELLANO? LO ESTOY COMPROBANDO. ME MUERO SIN TI. NI VOS SIN MÍ NI YO SIN VOS. DIME ALGO. ESCRÍBEME. NO PUEDO NI DIBUJAR SI NO LO HACES.

JORGE

62

No todo fueron prohibiciones en las casas de Jorge y de María. La rabia del primer momento dio paso a una profunda compasión. Rebeca Lindon pensó limitar sus apariciones públicas, Candela Brines hizo serios propósitos de volver antes a casa, Teo Pinilla preparó tortitas aquel fin de semana. Y Berto Zaera escribió a su hijo el mismo mensaje que podría haber escrito cualquiera de ellos.

Para: Jorge Zaera

De: Berto Zaera

Asunto: Compasión

Querido hijo:

Aunque vamos a vernos el viernes, no quería dejar pasar ni un día más sin escribirte.

Me imagino que lo estarás pasando fatal. No sabes cómo lo siento. Algún día sabrás cómo duelen a los padres los dolores de sus hijos y entenderás mis palabras.

Pocos lo entienden así, pero «compasión», com-pasión, es sufrir con alguien. No imaginas lo profunda que es mi compasión. Sabes que, durante muchos años, he intentado con todas mis fuerzas evitar que te sucediera algo así. Ahora que ha pasado, solo puedo lamentarlo. Creo que no ganamos nada buscando culpables.

Igual no es un gran consuelo, pero me gustaría que supieras que esto pasará. Piensa que es como una borrasca. Ahora estás viviendo lo peor de ella (eso deseo con todas mis fuerzas; que esto sea lo peor, que no vaya a más), pero luego se irá. ¿Te acuerdas de cuando fuimos a Argentina? Tu maleta era un desastre. Tuviste que ponerte una prenda encima de otra para no quedarte helado. Con el calor que hacía cuando preparaste el equipaje, te costaba hacerte a la idea de que podía llegar a hacer tanto frío allí. Pero lo hacía. Pues con la misma certeza te lo digo. Ahora mismo sé que te cuesta pensar que nada de lo que ha sucedido tendrá la menor importancia dentro de un año. Pero así será.

Es fácil sentirse desgraciado bajo la lluvia. Pero prepárate, no hagas del chubasquero tu uniforme, porque el sol saldrá. ¿Y sabes qué es lo mejor? Piénsalo. ¿Qué aparece en el cielo cuando sale el sol después de la lluvia? Sí, Jorge, el arco iris. Hay cosas que no pueden verse si antes no se ha sufrido. Haber sufrido nos da una dimensión más profunda de la vida, si sabemos mirar hacia el cielo, claro.

Mira al cielo. Estate atento. Y en los momentos en que te cueste creer que esta borrasca pasará, escucha esto[15] (aunque ya sé que no es tu estilo), o llámame.

Lo siento mucho, Jorge.

No dejes de dibujar.

Papá

Para: Berto Zaera

De: Jorge Zaera

Asunto: RE: Compasión

¿Pedí yo ver el arco iris?

Para: Jorge Zaera

De: Berto Zaera

Asunto: RE: RE: Compasión

No es eso, hijo. Pero ahora vas a tener el privilegio de poder verlo, si quieres. Incluso de dibujarlo.

Siento muchísimo no poder enrollarme ahora, pero entro en una rueda de prensa.

Insisto: llama a cualquier hora si lo necesitas.

Dibuja.

Besos,

Papá

---

[15] Enlace a <www.e-sm.net/sun>

63

Cuando María llegó el lunes a su casa, directa del colegio, utilizando las zonas comunes de la urbanización «exclusivamente como zonas de paso», se sorprendió de encontrar a Óscar en la puerta.

—¿Está mi madre en casa? ¿Tan pronto? —preguntó extrañada.

El escolta se limitó a encogerse de hombros.

Javier y Nicolás estaban merendando solos en la cocina.

—¿Y mamá? —preguntó María.

Javier también se encogió de hombros. Nicolás lo imitó.

María avanzó por el pasillo mientras encogía los hombros una y otra vez tratando de entender el gesto, cuando oyó unas voces. Se acercó con sigilo al cuarto de sus padres y se quedó escuchando.

—¿No ves que tendría el efecto contrario? —oyó decir a su padre—. Cuanto más se lo prohibamos, más se empeñará en estar con él.

—¡Pero mientras sigan, toda esta bola continuará creciendo! —dijo Candela—. ¿Tú has visto esto?

María no pudo aguantar más e irrumpió en el cuarto.

—¿Qué es lo que hay que ver? —dijo con aire chulesco. Desde que Raquel había aparecido en televisión, era difícil encontrar el tono para conversar.

—¿Estabas espiando? —preguntó Candela.

—¿Y tú? —respondió retadora María.

Candela inspiró con fuerza y mostró la pantalla de su teléfono a María.

—No me hace falta espiarte. Ya lo hace todo el mundo por mí.

En la pantalla aparecía una foto de María, tal y como estaba vestida en ese momento. Los mismos vaqueros, el mismo jersey, las mismas bailarinas, la misma diadema... No salía sola.

Estaba besando a Jorge.

—¿Quién la ha colgado? —preguntó María desconcertada—. ¿Desde cuándo estás en Facebook?

—Eso es lo de menos —respondió Candela, y retiró el teléfono; no quería que María viera que se había creado un perfil con un nombre falso. Luego alzó la voz–: ¿Qué? ¿No quieres leer lo que ponen? ¿Eh? ¿Quieres ver lo que dicen de tu madre?

–Eso es lo único que te importa, ¿no? –gritó María.

–No, hija. Te equivocas. Nosotros...

–¡Cállate, papá! ¡No podéis impedirlo! Pienso hacer lo que me dé la gana.

En realidad, María quería decir «no podéis impedir que quiera a Jorge», «pienso seguir saliendo con él», pero ya había asimilado el lenguaje familiar, el de las perífrasis, los eufemismos y la ausencia total de nombres propios.

Candela la miró a los ojos y esbozó una sonrisa irónica.

–No hace falta que nos digas lo que piensas hacer. Nos enteraremos de todos modos –dijo agitando su teléfono–. Y no es solo esto. Sabemos que ayer intentaste conectarte a través de la red de un vecino. ¿Tú sabes lo que me cuesta a mí ahora averiguar lo que haces, dónde estás, qué escribes, con quién andas?

María pensó en Óscar, en el coche de policía que últimamente rondaba alrededor de casa, en que su madre era ministra... Ministra. Las palabras se le agolpaban en la cabeza y la sangre en las mejillas, tiñéndolas de rojo.

–Creo que no será necesario que cambies de colegio, ¿verdad? –amenazó sin amenazar Candela–. Bastará con que recuerdes que nunca estás sola.

Hiere más un susurro que un grito; María lo había aprendido del lenguaje familiar.

Por eso intentó no gritar al decir:

–¿Es que acaso no tiene nada mejor de lo que ocuparse la señora ministra?

–Precisamente –respondió Candela haciendo el mismo esfuerzo por no gritar, el mismo esfuerzo por herir–. Tengo millones de cosas más importantes que hacer como para encima andar preocupándome por los rollitos de una cría.

Entonces María lo dijo. Con todas las letras:

–Te odio.

Una bofetada cruzó la cara de María. Plas.

Y luego, el silencio.

...

El silencio también hiere. Pero, como arma, tiene una gran ventaja sobre las palabras: no admite reacción.

Para: Jorge Zaera

De: Berto Zaera

Asunto: Minería

Querido hijo:

Sigo dando vueltas a la forma de ayudarte en estos momentos.
Me gustaría encontrar unas palabras que te aliviaran, que nos
aliviaran a todos. Creo que las he encontrado. Están en un libro
que me gustaría que leyeras dentro de unos cuantos años.
Se titula *Diario de un mal año*, y lo escribió J. M. Coetzee.
Dice así:

«Los nuevos teóricos de la vigilancia dicen que no va a haber
más secretos, (...) que la era en que los secretos contaban (...)
ha terminado; nada que merezca la pena conocerse no puede
ser descubierto en cuestión de segundos, y sin demasiado
esfuerzo; la vida privada es, a efectos prácticos, cosa del pasado.

Lo que sorprende de semejante afirmación no es tanto su
arrogancia como lo que revela sin querer sobre la concepción
de un secreto que predomina en los centros oficiales: que un
secreto es un ítem de información, y como tal entra dentro
del campo de la ciencia de la información, una de cuyas ramas
es la *minería*, la extracción de vestigios de información (secretos),
de toneladas de datos.

Los amos de la información se han olvidado de la poesía, donde
las palabras pueden tener un significado totalmente distinto
al que dice el léxico, donde la chispa metafórica va siempre
un paso por delante de la función decodificadora, donde
siempre es posible otra e imprevista lectura».

Un beso,

Papá

Para: Berto Zaera

De: Jorge Zaera

Asunto: RE: Minería

Papá, no sé si lo he entendido bien. Creen que saben cosas.
Pero no tienen ni idea. Lo esencial es invisible a los ojos. Es eso,
¿no? María me dijo algo parecido: que por más que consiguieran
información sobre ella, no podrían meterse dentro de su cabeza.
Es como cuando yo escondo cosas en los dibujos. Algunos no
se dan ni cuenta. María siempre encuentra lo que escondo.
Es como lo que dijeron de María y de mí, aquello de que solo
era un rollito y todas aquellas cosas. No habían entendido nada.
Esos mineros de mierda tenían un diamante y lo cogieron como
si fuera un trozo de carbón. ¿Y de qué me sirve saber eso?
¿No habría sido mejor que vieran que era un diamante?

Para: Jorge Zaera

De: Berto Zaera

Asunto: RE: RE: Minería

Pero entonces ya no sería un secreto.

Para: Berto Zaera

De: Jorge Zaera

Asunto: RE: RE: RE: Minería

Yo nunca quise que fuera un secreto.

Desde aquel momento, la historia de Jorge y María, que nació a pleno sol, casi deslumbrada, como contó María en la primera entrada de su blog, solo podía ser secreta.

María había intuido que tendría que ser así desde aquel primer beso largo, cuando pidió al escolta que no dijera nada. Hasta entonces, guardar secretos la había hecho sentir importante. Pero ahora aquel secreto solo los hacía sentirse desgraciados. El secreto era un nuevo silencio que no admitía reacción. Nada de lo que les sucediera podía ser públicamente interpretado a la luz del secreto. (Claro, porque ¿qué luz puede dar un secreto? ¿Acaso no es la oscuridad su hábitat natural?). Pero todo, absolutamente todo, era motivado por él: la alegría, la tristeza, la rabia, la canción que elegían cantar en la ducha, el color de los guantes que se ponían, el libro que elegían leer... Nada de lo que Jorge o María sintieran o hicieran provenía de ningún otro sitio. Su vida pendía de aquel amor que se profesaban en secreto.

El secreto fue una necesidad, nunca una opción. María y Jorge querían gritar, darse la mano, no esconderse, pero el mundo entero se había convertido en una gigantesca agencia de información, y no había lugar donde escapar. Cualquiera, desde cualquier sitio, en cualquier momento, podía ver, fotografiar, compartir... No era solo Óscar, no eran solo los reporteros, no eran solo Natalia o Pedro Contreras o Ingrid... Era cualquiera.

Los cocodrilos acechaban por todas partes. «La vida privada es, a efectos prácticos, cosa del pasado». La intimidad había muerto.

El único refugio que les quedaba era cruzarse miradas... hasta que María encontró la llave.

A más de dos mil kilómetros de María, Yaiza entró una vez más en el que se había convertido en su blog favorito: Pinillismos.
Nada.
Una vez más se encontró con la misma entrada de los últimos días. En aquel misterioso mensaje, la autora del blog anunciaba que le habían prohibido usar el móvil y conectarse a internet. ¿Por qué lo habrían hecho? ¿Quién? Yaiza confiaba en que aquella chica fuera capaz de burlar la vigilancia y que escribiera pronto una nueva entrada en la que aclarara un poco más aquel misterio. Le había cogido tanto cariño, se sentía tan identificada con ella...
Entonces oyó la voz de su madre:
—Apaga el ordenador inmediatamente. Al final vamos a tener que acabar prohibiéndotelo.
Sí, se sentía muy identificada.

MARÍA, SI NO ME CONTESTAS, SI NO SÉ NADA DE TI, TENDRÉ QUE IR A TU CASA O HACER ALGO MUY DESESPERADO. ¿QUIERES ESO? HABLEMOS, POR FAVOR.

TE QUIERO,

JORGE

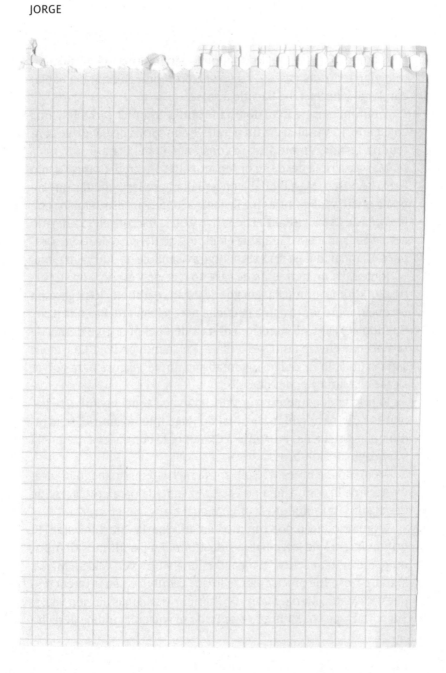

66

Cuando María se quedó sin móvil y sin internet –el mundo entero vigilando sus pasos–, creyó volverse loca. Necesitaba hablar con Jorge y necesitaba hacerlo a solas.

Y entonces se le ocurrió una fórmula con una variable y una constante. La variable era un pendrive con forma de llave que contendría distintos mensajes. La constante, la fiel Clara.

María escribía desde su ordenador sin conexión. Como Tristán hacía con Iseo, María tallaba en aquella llave las palabras que no podía gritar, y luego se las hacía llegar a Jorge. Para eso, contaba con la ayuda de Clara. Le daba el pendrive y Clara iba corriendo a dejarlo detrás de la maceta que había en el rellano del piso de Jorge. Después, Clara mandaba un SMS a Jorge avisándole de que ya lo tenía.

Jorge salía un momento de casa, lo recogía y escribía en su particular idioma: dibujaba. Luego escaneaba el dibujo, lo pegaba en un documento junto a una pequeña nota y lo guardaba en la llave. Cuando acababa de hacerlo, volvía a dejar el pendrive detrás de la maceta y enviaba un SMS a Clara. En cuanto podía, Clara-mensajera subía, lo recogía e inventaba cualquier excusa para volver a casa de María y poder dárselo.

El primer documento que María grabó en aquel pendrive se llamaba «Adivina adivinanza». Cuando Jorge intentó abrirlo, se le pidió una contraseña. Preguntó a Clara por la contraseña, pero ella se encogió de hombros.

–A mí no me mires. Yo solo soy la mensajera. No tengo ni idea.

Aunque la contraseña no estaba inventada para protegerse de Clara, ella jamás intentó averiguar cuál era.

Jorge solo tardó dos intentos en adivinarla. Era *Snowman*. El primer intento de Jorge había sido *María*. En los últimos tiempos no podía evitar escribir esa palabra una y otra vez. María, María, María... Y eso fue precisamente lo que escribió en su primera respuesta: «María, María, María...». Escribió *María* más de cien veces. Sin cortar y pegar. Meñique izquierdo mayúscula, índice derecho

M, anular izquierdo A, índice izquierdo R, anular derecho tilde, índice derecho I, anular izquierdo A. María, María, María, María...

Lo siguiente que recibió Jorge empezaba así:

«Chico listo. Sabía que darías con la contraseña, con nuestra contraseña».

Y lo siguiente que envió Jorge fue un dibujo de María escapando de una torre.

A su torre, a su celda de castigo, solo podía acceder Clara, pero eso era más que suficiente. Porque ella tenía la llave... y la confianza de los padres de María. Ellos entendían que, ahora más que nunca, María se refugiara en sus amigas y, como siempre habían sentido simpatía por Clara, no les extrañaba su presencia. Sin embargo, cualquiera que hubiera seguido los movimientos de Clara habría detectado que algo raro estaba sucediendo. Pero los ojos del mundo estaban pendientes del hijo de Rebeca Lindon y de la hija de Candela Brines. Nadie miraba a Clara. Solo Edgar reparó en aquel extraño trajín.

67

Desde que Raquel apareció en aquel programa, no solo María con sus cartas y Jorge con sus dibujos sentían la necesidad de contar, o de contarse; de abrirse paso, de crear un camino, en definitiva. También los programas del corazón, las revistas, decenas de foros... querían contar su historia. Pero su forma de hacerlo, su retórica, era distinta. Ellos no desbrozaban la desordenada realidad. No, ellos robaban secretos, iluminaban el desorden con focos cegadores. Era imposible ver más allá. Ante la violencia de aquella luz, la realidad se agazapaba asustada.

Raquel visitó dos programas más, el nombre de Rebeca Lindon fue citado otras doscientas veces... y finalmente la presión pareció remitir. Berto Zaera había dicho que aquello sería como una borrasca, que pasaría. Pero las borrascas no desaparecen, se desplazan. A la última aparición de Raquel en televisión, siguió la noticia inesperada del divorcio de un famoso cantante. Un nuevo desorden que iluminar con deslumbrantes rayos. La borrasca se desplazó.

Pero a una borrasca bien puede seguirle otra aún mayor.

«Nuevas e inquietantes revelaciones», prometieron los avances publicitarios. «Nuevas e inquietantes revelaciones», repitió la vecina del tercero a María cuando coincidieron en el ascensor. «Nuevas e inquietantes revelaciones», escribió María preocupada en su carta a Jorge. «Nuevas e inquietantes revelaciones», una nueva bola de palabras.

Fueron nuevas. Fueron inquietantes. Pero más que revelaciones, fueron insinuaciones. El escenario era un plató, pero los personajes de aquella representación actuaban como si estuvieran en una montaña nevada, con una tabla de *snow*.

Primero describieron una larga curva.

«¿Os habéis fijado en el curioso parecido entre el hijo de Rebeca Lindon y la hija de Candela Brines?».

Y de repente, derrape y contracanto.

«Evitemos hablar de ellos. Son menores».

Para volver a ponerse de cara a la pendiente...
«Me cuenta una fuente muy fiable...»,
tomar impulso...
«... que hace muchos años, más de quince, Candela Brines...»,
saltar haciendo un truco espectacular...
«... tuvo una relación con un compañero de carrera, llamado...»
y aterrizar limpiamente:
«Berto Zaera»,
a tiempo de recoger el aplauso del público.
«¡El ex marido de Rebeca Lindon!».
¿Y cómo no disfrutar otra vez del truco?
«Tuvo una relación con un compañero de carrera, llamado Berto Zaera».
Repetición de la jugada.
«Tuvo una relación con un compañero de carrera, llamado Berto Zaera».
«Tuvo una relación con un compañero de carrera, llamado Berto Zaera».
«Tuvo una relación con un compañero de carrera, llamado Berto Zaera».
Rayo cegador. Imposible ver más allá.

68

Minnie había salido con Daisy. María había salido con Clara.

Cuando el gato no está, los ratones bailan.

Minnie-María bailaba más libre que nunca. Era la máscara. Se había revelado más eficaz que las copas. Otra forma también pasajera de dejar de ser. Cansada de ser María, cansada de ser la hija de Candela Brines, María se entregó a la posibilidad de ser la novia de Mickey Mouse. Ser solo eso, una ratona que pestañea, al menos mientras durara aquel baile. Sonreír, sonreír, cantar, bailar y ser para todos la novia de Mickey Mouse.

Daisy-Clara, menos patosa que nunca, bailaba con ella. La música sonaba atronadora, pero la repetida vibración del móvil no le pasó desapercibida. Sin dejar de mover los hombros y la cabeza, sin dejar de levantar y mover el brazo izquierdo, Clara sacó el móvil y miró la pantalla.

Se levantó la careta y se la colocó en lo alto de la cabeza para leer mejor.

Quince mensajes. Distintos remitentes para un mensaje que venía a decir lo mismo:

«Lo acaban de decir en TV. Jorge Zaera y María Pinilla son hermanos».

Y solo un mensaje diferente. De Jorge.

«Dile a María que no es verdad».

Clara ya no era Daisy.

Bajó el brazo y se quedó parada en mitad de la pista de baile, rodeada de gente que no dejaba de moverse, una boya agitada por las olas. Sin darle tiempo para impedirlo, Minnie-María le arrebató el móvil de las manos, ansiosa por ver qué era aquello que había congelado el gesto de Clara volviendo tan incongruente la sonrisa de Daisy.

Leyó los mensajes uno tras otro. Desde detrás de la careta, luchaba por comprender. La forma en que lo contaba uno de los mensajes le dio la pista definitiva:

«Dicen que Berto Zaera es el padre de María Pinilla».

Bola de palabras. Imposible respirar.

María recordó la primera vez que oyó pronunciar ese nombre, el nombre del padre de Jorge. Fue en su casa. En boca de su madre. Y todo encajó de golpe: la reacción de sus padres ante la mudanza de Rebeca Lindon, su conocimiento de la existencia de Berto y de Jorge, la forma de evitarse, la cara de su padre al ver entrar a Jorge en casa, el nerviosismo de su madre, los silencios de su padre, la prohibición de salir juntos... incluso aquella boca, «boca de mono». Pensó en la boca de Jorge, pensó en sus besos... Y por primera vez sintió asco.

Minnie-María seguía en mitad de la pista, aferrada al móvil de Clara. Sentía unas terribles ganas de vomitar, le faltaba el aire, pero, pese a las arcadas, pese al ahogo, se sentía incapaz de desprenderse de la careta. Se ahogaba, se ahogaba, y esta vez repetir el nombre de Jorge no diluiría aquella asfixiante bola de palabras sino que la haría más grande.

Clara miraba la sonrisa de Minnie, intentando escrutar la mirada de María tras la careta. Las pestañas de Minnie y aquella sonrisa que nunca había parecido tan estúpida eran pistas falsas.

Clara extendió la mano para levantarle la careta, pero María se lo impidió con un gesto brusco. Quería fundirse con aquella máscara, transmutar su piel por aquel plástico y seguir siendo para siempre la novia de Mickey Mouse, solo la novia de Mickey Mouse.

Dejar de ser. Dejar de ser la hija de Candela Brines. Dejar de ser lo que nunca había sido: la hija de Berto Zaera.

–Vámonos, María –dijo Clara cogiéndola del hombro.

María miró a Clara a través de la careta.

–Ya no me llamas Pinilla –murmuró. Con tanto ruido, Clara no la oyó.

Abriéndose paso a empujones, Clara arrastró a María fuera de la pista. Tras la careta, Minnie-María creía sentir la mirada de todo el mundo, creía ser el motivo de todas las risas. Y a su alrededor todo el mundo reía, delante o detrás de una máscara. Mientras avanzaban penosamente hacia la salida, vio a alguien mirar su móvil, levantar la mirada y señalar hacia Clara. Sentía que si se quitaba la careta, sería devorada por una multitud de cocodrilos. No dejarían de ella ni los huesos. Solo quedaría una estúpida careta de Minnie Mouse tirada en el suelo, pisoteada.

Volvió a casa remolcada por Clara. Su amiga la acompañó hasta la puerta. Pero Minnie entró sola.

Para: Jorge Zaera

De: Berto Zaera

Asunto: ¿?

Querido Jorge:

No me coges el teléfono. No me escribes. Me dice mamá
que tampoco dibujas, que ella sepa. Deberías hacerlo.
Por lo menos eso, dibujar.

Y si me coges el teléfono, mejor.

Un abrazo muy fuerte,

Papá

69

–¡Mamá! –gritó.

Contra la costumbre familiar, el salón estaba a oscuras. Solo el resplandor de la televisión permitía vislumbrar dos bultos. Su madre y Teo.

–Ya te has enterado, ¿no? –dijo Candela Brines, sin apenas levantar la mirada del televisor. A su lado, Teo se tapaba la cara con las manos.

María se quedó de pie, en silencio, con la careta puesta.

–Gracias por arruinarme la vida –murmuró al fin.

Extrañamente iluminada por la reverberación de la televisión, la sonrisa de Minnie resultaba tan extemporánea como una pieza de un musical acompañando a una escena de una película de terror.

–No te pongas melodramática, por favor –dijo Candela sin mirarla. Se notaba que había estado llorando. Luego, despacio, casi para sí misma, añadió–: Yo no tendría que estar saliendo ahí. No tendría que salir en la prensa rosa. Yo solo tendría que estar en las páginas de color salmón.

Minnie estalló:

–¿Cómo puedes decirme eso? ¡¡Yo no tendría que salir en ninguna página!!

Candela levantó la vista del televisor y miró a su hija por primera vez desde que había entrado en casa.

–Quítate eso.

María seguía de pie en medio del salón, con la careta puesta.

Su madre repitió con frialdad:

–Quítate esa ridícula careta para hablar.

–Candela, por favor... –susurró Teo–. Ella no tiene la culpa de nada.

Candela se volvió hacia su marido:

–¿Insinúas que la tengo yo? –dijo sin poder evitar gritar.

María aprovechó para salir corriendo hacia su cuarto. Echó el pestillo, se apoyó contra la puerta y se quitó la careta. Un amasijo de lágrimas, rímel y kohl apareció detrás, y la mirada vacía de quien acababa de dejar de ser la novia de Mickey Mouse.

Poco después, sonaron unos golpes en la puerta.

—María, abre.

María puso la música a todo volumen, cerró la persiana del cuarto («para siempre», pensó) y volvió a sentarse en el suelo, apoyada contra la puerta. Casi podía sentir el aliento de Teo al otro lado.

Teo aprovechó el corte entre una canción y la siguiente para suplicar:

—Abre, por favor. Soy yo, papá.

Desde el otro lado de la puerta, Teo oyó un gemido:

—¿De verdad lo eres?

En el limbo de los mensajes no enviados vagan como fantasmas estas cartas. Las escribió María cuando aún era incapaz de encontrar las palabras, cuando no quería ni podía contarse su historia, cuando vivía presa de su propio secreto. Porque no hay peor secreto que el que nos guardamos a nosotros mismos al no encontrar las palabras para contárnoslo.

hermanos hermanos hermanos manos manos
manos nos nos nos NO NO NO NO nos nos nos
nosotros nosotros nosotros –nosotros hermanos–
nosotros otros otros otros ERA ZAERA
Papá...
¿Papá???
Jorge:
¿Cómo hemos afnafññaruru vfuvzdpweuP4 CDURG
w480àdfon‹àeirugbdfvnc
Jorge Jorge Jorge Jorge Jorge Jorge Jorge Jorge
Jorge Jorge ZAERA
¿Verdad que no es verdad? Jorge, Teo...
¿Cómo puedo creeros? No puede ser verdad.
No es verdad. ¿Y si lo fuera?
Nooooooooo000000000

A más de dos mil kilómetros, Yaiza comentaba a Isabel:

−¿Te acuerdas de aquel blog del que te hablé?

−No −respondió Isabel.

−Sí, tienes que acordarte. El de aquella chica que primero tonteaba con un chico y luego parece que empezó a salir con él y...

−¡Ah, sí! La que escribió eso del amor a primera vista. Me acuerdo de una chica que comentó algo sobre eso. Era muy graciosa. ¿Qué pasa con eso?

−Eso me gustaría a mí saber. Hace muchos días que no escribe nada nuevo. Es como si se la hubiera tragado la tierra. Y el último post era muy misterioso. Mira.

Yaiza le enseñó a Isabel la entrada que anunciaba el comienzo de la «vida inmóvil» de María, su vida sin móvil ni internet.

−Te parecerá raro, pero la echo de menos −dijo Yaiza−. Es como si de repente estuviera un montón de tiempo sin saber nada de una amiga y no pudiera localizarla.

−Hombre, no es lo mismo −saltó algo picada Isabel.

−Pues para mí es como una amiga −insistió Yaiza.

−¿Cómo puede ser tu amiga? ¿Acaso te consuela cuando estás inconsolable? ¿Te soporta cuando estás insoportable? ¿Te...?

−Pero conectamos −cortó Yaiza.

−Sí, y yo también conecto con La Habitación Roja o con la protagonista de *Si no despierto*, y no somos amigas.

Por un momento se hizo el silencio entre las dos. Ni Yaiza estaba dispuesta a negar que se sentía amiga de aquella chica, ni Isabel pensaba dejar de decir que se equivocaba al llamarla amiga. Y las dos lo sabían. Y como eran amigas, cambiaron de tema.

−¿Has visto qué fuerte lo del hijo de Rebeca Lindon? −dijo Yaiza.

−Sí. Increíble. ¿Te imaginas que estás saliendo con alguien y descubres que es tu hermano?

—Pero no está tan claro que sea hermano de... de... ¿Cómo se llamaba la chica esa?

—No sé. Es hija de una ministra, ¿no?

—Menuda debe de ser —comentó Yaiza—. ¿No viste que el hijo de Rebeca Lindon rompió con su novia por su culpa?

72

María estuvo muchos días sin ir a clase, todos los que duró aquella gran borrasca. Cuando volvió, lo hizo en otro colegio. Aquellos rayos cegadores habían hecho imposible seguir con su vida de antes. Tenía que alejarse de todos cuantos la señalaban y, sobre todo, tenía que alejarse de Jorge. Intentar empezar de nuevo, en un sitio donde solo fuera María.

–¿Qué tal? –le preguntó Clara a la vuelta de su primer día.

–Bien –dijo María.

La conversación aún no fluía como antes.

El cuarto de María seguía con la persiana cerrada.

Clara seguía llevando mensajes de Jorge a María, pero María se negaba siquiera a abrirlos.

Una noche, mientras cenaban, Jorge había llamado al timbre. Candela había abierto la puerta y le había dicho la verdad: que María no quería verlo. Jorge gritó, aporreó la puerta. María se encerró en su cuarto y se puso los cascos.

Seguía sin móvil y sin internet, pero tampoco los reclamaba.

Tras un incómodo silencio, Clara preguntó:

–¿Por qué no los crees?

María hizo como que no había entendido la pregunta.

–Ya lo sabes. A Jorge, a tu padre.

–¿A Teo? –precisó María.

María había contado a Clara lo que Teo le había dicho. Que nada de todo aquello era verdad, que Berto Zaera había sido novio de su madre antes de empezar a vivir con Rebeca Lindon, que su madre había cortado con Berto al conocer a Teo, que al principio de la relación entre Rebeca y Berto, Rebeca había sentido muchos celos de Candela...

–Entonces, ¿por qué no los crees? –insistió Clara.

–¿Te acuerdas de que, cuando éramos pequeñas, prometí que iría a ver *Toy Story* contigo y fui con mi tía?

–Sí, me acuerdo. Pero ¿eso qué...?

–Escucha. ¿Te acuerdas?

–Sí, claro. Yo creía que te habías ido con Natalia y me enfadé muchísimo contigo.

–Sí.

–Pero cuando supe que tu tía te había llevado sin preguntarte, te perdoné.

–Sí, pero lo dudaste. Me preguntaste mil veces si no había ido con Natalia.

Clara asintió.

–Sí, ¿lo ves? Pero lo entendí y te perdoné. Y tú también deberías perdonar a Jorge, o a tus padres, o a quien tengas que perdonar.

–No lo entiendes –dijo María–. No se trata del perdón. Se trata de la mentira.

–¿Qué mentira?

–En realidad fui al cine con Natalia.

Clara abrió los ojos, confundida e incrédula.

–Te sorprende, ¿verdad? Y esto es una tontería. Pero demuestra una cosa.

–¿Qué?

–Que sé lo que es mentir. Sé cómo funciona una mentira. Cuanto más preguntabas tú, más insistía yo en decirte que no había ido con Natalia, ¿verdad?

–Pero Natalia también dijo...

–Exacto, Clara. Hasta eso sé. Sé cómo se coordina una mentira. Una conspiración, ¿no? Eso es. Mi tía, Natalia, mis padres... Todos nos pusimos de acuerdo para mentirte. No queríamos que te sintieras mal.

–Y me lo creí –musitó Clara.

María asintió.

–Te habrías muerto sin saberlo si no llego a necesitar contártelo para demostrarte esto.

–¿Demostrar qué?

–Que una mentira se parece mucho a una verdad, y que solo quien la cuenta es capaz de distinguirlas.

Clara rumió lo que acababa de oír. De pronto se dio cuenta de que no le molestaba saber que María realmente había ido al cine con Natalia. Ni siquiera le reprocharía que le hubiera mentido. Clara se sintió mayor y algo confusa. ¿Cómo podía ser que perder la inocencia fuera también perder el rencor? ¿O acaso al perder la inocencia lo que se ganaba era la verdadera capacidad de perdonar?

Clara volvió a pensar en María y en Jorge:

–Pero... ¿por qué iba a mentirte tu padre?

María miró a Clara fijamente a los ojos.

–Se me ocurren decenas de razones.

–Pero María, él no dejaría que salieras con Jorge si de verdad fuerais...

–Hermanos, dilo.

–Eso.

María se quedó pensando.

73

Unos días después, Teo fue a buscar a María al colegio en coche.

–Tengo la tarde libre –dijo–. Y algo para ti.

Se montaron en el coche y fueron a una cafetería donde hacían el plato preferido de María: tortitas con nata.

–No tengo mucha hambre... –dijo María nada más sentarse.

Teo no le dio opción.

–Dos de tortitas con nata –pidió en cuanto se acercó el camarero.

Cuando se fue, sacó un sobre y se lo pasó a María.

Ella lo abrió.

Estuvo examinándolo un buen rato con el ceño fruncido.

–¿Pero esto...?

–Es una prueba de ADN.

–¿Cómo...? –volvió a balbucir María.

Teo le acarició la cabeza. Luego le mostró algo entre el dedo índice y el pulgar. Un pelo.

–Así de fácil.

A María se le agolparon las lágrimas en los ojos.

–Me habría gustado que no fuera necesario hacerla. Me habría gustado que nos creyeras. A tu madre, a mí, a Jorge...

Era la primera vez que su padre pronunciaba el nombre de Jorge. Al oírlo, María hizo un esfuerzo por no removerse en el asiento. Era parte de un entrenamiento de años en el lenguaje familiar: controlar también el lenguaje no verbal; ante todo, no delatarse.

–Pero te entiendo –siguió explicando Teo–. Entiendo tus dudas. Clara me ayudó a entenderlas.

–¿Clara?

Teo asintió. Puso los codos sobre la mesa, apoyó la barbilla en los puños y miró fijamente a María.

–Hija...

María se imaginó exclamando «¡Papá!» y levantándose para abrazarlo en medio de la cafetería. Pero aquello se habría parecido demasiado al culebrón que nunca había querido protagonizar.

Y además, el camarero se aproximaba con dos platos de tortitas con nata, y por nada del mundo se habría arriesgado a que aquellas tortitas cayeran al suelo.

74

Cuando iba por la segunda tortita, María le dijo a su padre:

—He visto fotos del padre de Jorge. Tiene la boca como él.

Teo asintió con la boca llena.

—¿Y yo, papá? —preguntó María aprovechando la menor ocasión para llamarlo así—. ¿De quién la he heredado?

Teo tragó y miró a su hija, compasivo. Nunca había dado importancia a aquel detalle, pero ahora se daba cuenta de que para María había sido otro doloroso motivo de sospecha.

—Mi abuela Mercedes. Tenía la boca como tú. ¿No te acuerdas? Seguro que la has visto en fotos antiguas.

María meneó la cabeza, con la boca llena.

Su padre la miró.

—Ahora haz lo que quieras con la prueba —le dijo—. Ese documento es tuyo. Tú decides qué hacer con él.

María barajó las distintas opciones. ¿Le bastaba con saberlo ella? ¿Ella y Jorge? ¿Quería que todos los demás lo supieran? ¿Lo necesitaba?

—Es todo tan... tan...

—¿Cutre? —sugirió Teo.

María asintió.

—Yo no quiero entrar en ese circo —dijo imaginando que hacía llegar la prueba a la prensa y a la televisión, y escuchando el nombre de sus padres repetido una y otra vez.

—Entonces díselo solo a quien tengas que decírselo.

—Pero no puedo soportar las miradas de todo el mundo, papá. La gente siempre está dispuesta a creer lo peor. Todos pensarían que somos... —a María aún le costaba decirlo—. Nos mirarían como si estuviéramos haciendo algo horrible. Tendríamos que escondernos. Yo no quiero tener que andar dando explicaciones ni demostrando nada. Pero tampoco quiero mantenerlo en secreto, como si fuera algo vergonzoso. No, así no podría salir con él.

Aunque no había sido capaz de decir su nombre, María se sorprendió enunciando en voz alta la posibilidad de salir con un chico ante su padre. No era ese el estilo familiar, hablar de las cosas. Pero tampoco lo era merendar tortitas entre semana. Y a María no le parecían mal aquellas excepciones. ¿O serían más bien cambios?

Su padre interrumpió aquellos pensamientos.

–¿Sabes qué haría yo en tu lugar?

–Dime, papá. Tú eres el experto en publicidad.

Teo sonrió. De pronto, se llevó una mano a la frente.

–¡Tenía otra cosa que enseñarte!

Sacó su iPad y lo encendió. María lo miraba expectante. Cuando lo tuvo listo, lo giró hacia María. Un vídeo mostraba a un hombre leyendo un libro en voz alta:

«Iseo», leía el hombre, «tú y yo somos como la madreselva que se enrosca en el avellano. Juntos pueden vivir largos años, mas si alguien pretende separarlos, muere el avellano enseguida y la madreselva también. Igual es nuestro destino: ni vos sin mí, ni yo sin vos».

Luego, el hombre cerraba el libro y, mirando a cámara, decía:

«Así es nuestro destino, el del Teatro Belén y la Escuela de Artes: ni teatro sin escuela, ni escuela sin teatro. Di no al traslado de la Escuela».

Cuando el vídeo terminó, María alzó la vista hacia su padre:

–¿Y esto? –dijo con la sonrisa de satisfacción de una musa.

–Es una campaña que me habían pedido unos amigos. Quieren obligarlos a trasladar su escuela del teatro de donde está a otro edificio en las afueras. Fuiste tú quien me dio la idea, con aquel trabajo. Te debo una.

–Sí. Y me la vas a pagar ahora mismo. Aún no me has dicho qué harías si fueras yo –dijo María retomando la conversación anterior.

–Yo escribiría una novela.

75

María rebañó el chocolate y la nata con el último trozo de tortita.

—¿Una novela? —preguntó mientras daba vueltas al tenedor por todo el plato.

—Sí, tenéis que contar vuestra historia.

—Pero ya lo han hecho los demás. Nosotros no queríamos que lo hicieran, pero no dejaban de hablar de ello.

—Por eso mismo. No podéis dejar que sean otros quienes cuenten la historia por vosotros. O que crean que lo han hecho. Porque en realidad solo se han fijado en lo oscuro, han especulado sobre vuestra historia para hacerla más morbosa, han contado mentiras... Ahora es vuestro turno. Tenéis que contar *vuestra* historia, pero la verdadera. En fin, todas las historias, como historias, son verdaderas. Cuando digo «la verdadera historia» me refiero a vuestra historia. Será vuestra campaña. ¿Qué queréis decir al mundo?

—Que nos queremos mucho —musitó tímidamente María.

—Bien, pero eso ya lo han dicho. Y han añadido algo más. Han dicho: «Jorge y María se quieren, y podrían ser hermanos». Piensa que...

María no dejó que su padre siguiera explicando. Ya lo entendía, y enseguida se lanzó a proponer:

—«Jorge y María se quieren, y tú tendrás cosas mejores que hacer que mirarlos».

—¡Bien! Ese sería el resumen de vuestra historia —exclamó su padre con admiración—. Eso está muy bien. Ahora solo faltaría algo que hiciera que la gente se pusiera definitivamente de vuestra parte, algo que facilitara que se pusieran en vuestro lugar, que entendieran por lo que habéis pasado. Algo...

María miraba a su padre con cara de interrogación. Esta vez no acababa de entenderlo.

—Mira, es muy sencillo. Y a la vez es complicado. Mejor te lo explico... con otra historia. La leí hace un tiempo. La contaba otro publicista.

»Había una vez un ciego que siempre pedía en el mismo sitio del parque. Siempre con el mismo cartel, un cartel que decía: «Soy ciego». Todos los días, camino del trabajo, pasaba por allí un publicista y todos los días le dejaba una moneda. Hasta que un día le dijo:

»–Hoy no voy a dejarte una moneda. Hoy voy a escribirte una frase en el cartel.

»Cuando aquella tarde, de vuelta del trabajo, pasó por donde el ciego y le preguntó cómo le había ido, el ciego le contestó sorprendido y feliz:

»–¡Es increíble! ¡Me han dejado más dinero que nunca! ¿Qué has escrito?

»Entonces el publicista le leyó lo que ahora ponía en el cartel: «Soy ciego y hoy comienza la primavera».

María se quedó esperando a que su padre continuara la historia. Pero su padre se limitó a sonreír satisfecho.

–Pero, papá, ¿ese día comenzaba la primavera de verdad? –le preguntó María.

–¡Qué importa eso! Era una historia.

María frunció el ceño.

–Piénsalo, María.

Y entonces, de pronto, como si fuera ella la que dejaba de ser ciega, lo comprendió y susurró:

–¿Y qué tal: «Jorge y María se quieren, y tú tendrás cosas mejores que hacer que mirarlos. Por ejemplo, querer a alguien»?

Su padre la miró orgulloso y asombrado.

–María, voy a tener que hacerte socia de la agencia. ¡Vas a ser un genio de la publicidad!

María sonrió satisfecha.

–Será que lo llevo en los genes –dijo, poniendo la mano encima del sobre con la prueba.

La sonrisa de Teo no podía hacerse más grande.

María también habría sonreído así si no fuera por un pequeño detalle. Sí, le parecía una idea fabulosa escribir una novela contando su historia. Sí, sería fantástico que esa historia sirviera para que la gente los dejara quererse en paz, e incluso para invitar a quienes la leyeran a vivir una historia de amor igual de bonita, pero ¿cómo iba a hacerlo? Una cosa era escribir una entrada para el blog y otra cosa, bien distinta, era escribir una novela.

Desde que María empezó a pensar en la novela, la bola de palabras que de vez en cuando le cortaba la respiración, ese horrible recuerdo de todo lo que habían dicho, desapareció.

María lo había descubierto por fin: los recuerdos están hechos de palabras; la vida está hecha de palabras. No puedes cambiar lo que te ha pasado, pero puedes escoger las palabras para contarlo.

Puedes decir: «He tenido la desgracia de que me atropelle un coche», o puedes decir: «He sobrevivido a un atropello». Elige las palabras y elegirás la calidad de tus recuerdos. Tú decides si es un buen o un mal recuerdo. Mejor aún, tú lo transformas.

Porque las cosas te suceden; algunas las provocas tú y otras escapan a tu control. Pero hay algo que solo tú controlas: las palabras que eliges para contarlas. Eres tú quien cuenta la historia, tu historia.

¿Y sabes lo mejor de todo?

Siempre, siempre estás a tiempo de cambiarla.

Este es el auténtico superpoder de todo ser humano.

Y SuperMaría abrió la persiana.

Cuando lo hizo, Jorge estaba esperándola.

Antes incluso de que alguien comenzara a escribir, María, en su cabeza, empezó a escoger las palabras para contar su historia. Pero lo mejor era cuando las palabras salían de su cabeza y las compartía con Jorge. Juntos reconstruían su historia.

–Y tenemos que contar lo de cuando me regalaste la bufanda –decía María acariciando un extremo de su bufanda roja.

–Por cierto, María –le decía Jorge–, ¿no hace demasiado calor para que la lleves?

–Sí, me estoy asando –confesaba María–. Pero me encanta ponérmela cuando estoy contigo. Así luego huele a ti.

Jorge abrazaba a María con todas sus fuerzas y los puntos, las fibras, las hebras y hasta las más diminutas moléculas de aquella bufanda recibían agradecidas su aroma de pomelo para retenerlo como celosas guardianas y liberarlo cuando María y Jorge estuvieran separados. Pero hasta entonces...

Lo que antes había sido un foso de cocodrilos se convirtió en un fuerte. El recinto de la urbanización amurallaba el amor de Jorge y María. Fuera de ella, ni se cruzaban. Y si alguna vez lo hacían, fingían no conocerse. Era lo mejor para no hacer crecer aquel monstruo que se alimentaba de rumores, de fotos sobre las que inventar palabras. Pero al abrigo de aquellos muros, en sus bancos, bajo sus chopos, tras los rosales, en las escaleras... la risa, los besos, las palabras, las caricias. Fuera, las máscaras.

De vez en cuando, la mirada de algún vecino les recordaba que estaban en una frágil burbuja.

De vez en cuando les pesaba la claustrofobia y soñaban con bailar juntos en mitad del Maracaná.

Pero tenían un plan, y ese plan aligeraba aquella sensación. Sabían que aquel carnaval no duraría para siempre.

Y no estaban solos en aquel plan.

Para: Berto Zaera

De: Jorge Zaera

CC: María Pinilla

Asunto: Propuesta

Papá, ¿recuerdas aquello que le contó a María su padre el día
que le dio la prueba? ¿Lo de que escribiéramos una novela
y eso? ¿Una novela que fuera como una campaña? Seguro que sí.
Me dijiste que te parecía muy buena idea.

Pues tenemos otra gran idea: ¿por qué no la escribes tú?

Se le acaba de ocurrir a María. Ya sabes que a mí me cuesta
escribir hasta este mensaje (¡¡¡pero no hay manera de hablar
contigo por teléfono!!!), y María se ve incapaz de escribir una
novela entera. Pero tú...

Eres periodista. Y mamá siempre ha dicho que escribes bien
y sabes decir lo que sientes. Ya ves, ¡a veces dice cosas buenas
de ti! :P

Te contaríamos todo, dice María (o casi, añado yo).
¿Qué te parece?

Para: Jorge Zaera

De: Berto Zaera

CC: María Pinilla

Asunto: RE: Propuesta

En primer lugar, quería que supierais que me habéis alegrado
el día y la semana, e incluso puede que esta alegría me dure
todo el mes. Que hayáis pensado en mí para escribir vuestra
historia es... Me quedo sin palabras. ¡Pero si iba a poner:

«me llena de orgullo y satisfacción»! ¿Veis como no soy tan buen candidato a escribir?

Y esto me lleva al «en segundo lugar». De verdad no creo ser la persona adecuada para escribir vuestra historia. En parte, por una cuestión de pudor. Pudor porque soy tu padre, Jorge, y sé que será difícil para los dos que me adentre en tu intimidad de la forma en que tendría que hacerlo. Que hayas necesitado añadir ese paréntesis en aquel «Te contaremos todo (o casi)» ya es una prueba de ello. De hecho, tú mismo reconoces que la idea ha partido de María y la justificas con la opinión de tu madre, y no con la tuya propia. Estoy casi seguro de que llevas toda la tarde arrepintiéndote de haberme enviado este mensaje...

Y también pudor porque no querría exponerme ante la prensa en ese papel. Lo que vosotros queréis con esa novela, según me explicaste, es que dejen de prestaros atención. Y me parece una gran idea. Pero si la firmo yo, que al fin y al cabo he sido uno de los detonantes de vuestra popularidad, podría tener el efecto contrario.

Además, no estoy seguro de saber desenvolverme bien en el registro que se necesitaría para vuestra historia. Cada uno tiene su especialidad, y, por mucho que ahora diga tu madre, Jorge, creo que hablar de sentimientos no es lo mío. ¡Pero si siempre me han acusado (ella la primera) de ser demasiado cerebral! Y no le quito razón, en eso.

También iba a añadir que, aunque quisiera, no tengo tiempo. Pero cada vez estoy más convencido de que el tiempo no se tiene, se saca. Así que no emplearé esa excusa.

Pero no quería deciros que no sin daros una alternativa. Y finalmente he pensado que la mejor alternativa sois vosotros mismos. Me dices que no os sentís capaces de escribir una novela. Pero, según me contaste, después de que estallara la primera noticia, a partir de que Raquel saliera por primera vez en televisión, os habéis intercambiado cartas y dibujos. ¿Y no podéis contar vuestra historia a partir de eso? Sería como uno de esos cuadros de Arcimboldo que están construidos con distintos elementos.

¿Te acuerdas de la serie de las Estaciones[16]?

La cara que correspondía a la primavera estaba hecha con flores; la del verano, con frutos; la del otoño, con uvas, setas...; la del invierno, con ramas. Bueno, no tienes más que mirarlo en el libro que te regalé. Pues vuestras cartas, vuestros dibujos pueden ser esos elementos pequeñitos –esas flores, esos frutos, esas uvas, esas ramas...– que, vistos en conjunto, formen vuestra historia.

Será como poneros el micrófono a vosotros mismos, daros voz. En esta historia han sido muchos los que han hablado, los que han inventado. Han cogido de aquí y de allá para hacer otra historia. Y no les ha salido una cara (ni dos, las vuestras), sino una caricatura.

De todas formas, lo hablamos el fin de semana, que bastante os habré aburrido ya.

Besos a los dos,

Berto

Para: Berto Zaera

De: Jorge Zaera

CC: María Pinilla

Asunto: RE: RE: Propuesta

Llevaba arrepentido desde el segundo siguiente a darle a «Enviar».

Muy listo, papá. (Negaré habértelo dicho.)

Te debo un dibujo. Pero no te lo haré ahora. No pienso sacar tiempo para eso en este momento. Ahora... me voy a consolar a María.

[16] Enlace a <www.e-sm.net/arcimboldo>

María esperaba a Jorge sentada en su banco, leyendo.

–¿Qué lees? –preguntó Edgar.

A María le sorprendió la pregunta. En realidad, lo que le sorprendió es que Edgar le hiciera una pregunta personal, él que siempre era tan discreto.

María cerró el libro y le mostró la cubierta.

–Ah, buen libro –dijo Edgar.

–¿Lo has leído?

Edgar asintió.

María ladeó la cabeza.

–¿Sabes, Edgar? Mi madre leyó un libro y luego me llevó a ver la película. Se llamaba *La elegancia del erizo*.

Edgar sonrió de oreja a oreja.

–Va de una chica muy lista y de la portera de su edificio. La portera hace como que es tonta, pero en realidad es una señora superculta que ha leído un montón de libros.

Como Edgar seguía sonriendo, María dijo:

–Aunque eso ya lo sabías, ¿verdad?

Edgar asintió:

–Sí, leí el libro.

–Me recuerdas a esa portera.

–Y tú a esa chica tan lista –dijo Edgar.

María sonrió recordando que muchas veces Jorge la llamaba así, «chica lista».

Aquel fue el principio de una larga conversación. Así fue como María averiguó que Edgar había estudiado Periodismo en su país y que le encantaba leer... y escribir.

–¡Lo sabía! –exclamó María poniéndose en pie–. ¡Espera que se lo cuente a Jorge!

–¡Eh, no te engañes! –intentó detenerla Edgar–. A ver si ahora te vas a creer que todos los porteros somos escritores camuflados.

María y Jorge apenas tuvieron tiempo de lamentar que Berto no contara su historia. Esta vez los dos, convencidos, acordaron proponer a Edgar que escribiera la novela.

—Pero yo...

—Tú no te preocupes, Edgar. Te pasaremos las cartas y los dibujos para que los incluyas; te contaremos todo —dijo María, entusiasmada con la idea.

Jorge no añadió: «Casi todo». Solo dijo:

—Oye, Edgar, entre que tú eres sudamericano y todo esto de ser hermanos pero no, no harás un culebrón, ¿verdad?

Edgar rio sin ganas.

—Tranquilo, Jorge. Primero, yo soy centroamericano. Y segundo, lo que hace que los culebrones sean culebrones es su retórica.

—¿Cómo? —dijo María.

Edgar siguió explicando.

—Sí, la retórica, la forma de contarlo. De momento, ni tú te llamas Jorge Alejandro, ni tú María Victoria Estrella.

Hizo una pausa y añadió, un puntito ofendido:

—Además, no a todos los sudamericanos les gustan los culebrones.

—Ya, pero a ti sí.

—Ni modo.

Al día siguiente, Jorge y María esperaron a que no hubiera nadie para acercarse a Edgar con mucho misterio y un regalo en la mano.

Era una libreta. De color amarillo pomelo, amarillo limón.

–Para que escribas nuestra historia –dijo Jorge–. La verdadera historia.

–Nuestra verdadera historia –precisó María.

Lo primero que apuntó Edgar en aquella libreta fue: «Jorge y María se quieren, y tú tendrás cosas mejores que hacer que mirarlos. Por ejemplo, querer a alguien». Era eso, en definitiva, lo que había que contar.

Durante días, Jorge, pero sobre todo María, fueron hablando con Edgar. A veces se juntaban para hacerlo. Otras veces lo hacían por separado. Edgar iba uniendo sus cartas, sus dibujos y sus conversaciones como un puzle.

–Ah, y no digas que tengo granos.

–Pero si solo tienes dos –dijo Edgar–. ¿Algún deseo más tiene la señorita?

–Que Clara parezca más simpática de lo que es para ver si le encontramos novio.

–Bien. ¿Algo más?

–No hables mucho de Raquel.

Edgar tardó en pasarles un primer borrador.

–Edgar... –dijo María tras leerlo–. Es como si lo hubiera escrito yo...

Edgar sonrió.

–Solo una cosa. ¿No hay demasiado diálogo?

–¿Tú crees? –dijo Edgar dubitativo–. Bueno, yo creo que eso ayuda a contar las historias, ¿no? Necesitamos al otro para explicarnos. Es la alteridad.

–¿La qué?

–La alteridad –repitió Edgar–. Los otros. A veces, al intentar explicarnos es cuando logramos comprendernos. Necesitamos a los otros, hablar con otros, o con nosotros mismos, pero dialogar al fin y al cabo.

María recordó todo el tiempo que había estado sola, sin poder hablar con Jorge, sin saber hablar con Clara, sin siquiera poder contarse a sí misma, incapaz de escribir, incapaz de contarse, balbuceando palabras sin sentido...

–Mola la alteridad –dijo a Edgar, reflexiva.

–Mola –repitió Edgar.

María se echó a reír: aquella palabra sonaba muy rara en boca de Edgar.

–Por cierto, hablando de alteridad –dijo Edgar–, he pensado incluir como personaje a Yaiza.

81

En un primer momento, cuando Edgar le propuso a María que Yaiza apareciera en la novela, ella no supo de quién le hablaba.

–¿Yaiza? –preguntó extrañada.

–Sí, es esa chica que dejó aquel comentario en la última entrada de tu blog. ¿Recuerdas? Parecía preocupada por ti, porque no habías vuelto a escribir. Había pensado inventarme un personaje con ese nombre que contara...

Pero María no siguió escuchando. Se sintió repentinamente culpable. No había respondido a aquel comentario tan amable. Tampoco había escrito ninguna nueva entrada. Tenía sus motivos.

Tanto como había soñado con que le levantaran el castigo para poder utilizar internet, cuando lo hicieron, poco después de cambiar de colegio, las cosas no sucedieron como ella había supuesto. Había imaginado que estaría todo el día con el móvil, o ante la pantalla, mandando mensajes, hablando con sus amigos, comentando las tonterías que ponía Clara en Facebook... Pero no.

Para su propia sorpresa, se había acostumbrado a vivir sin ello. Pero había algo más, algo que la alejaba del móvil, del ordenador... Sobre aquellas pantallas había leído las palabras más terribles, esas que a veces formaban una bola y le impedían respirar. Y recelaba. No vuelves a mirar igual a una bonita foca después de haberla visto devorar a su propio hijo.

Yaiza era una desconocida. Y ahora, después de ver lo que son capaces de decir los desconocidos, María desconfiaba. Recordar esto hizo que de nuevo se le formara aquella bola de palabras en la garganta, y esta vez estaba compuesta exclusivamente por palabras que empezaban por *des*, palabras que habían llenado su vida durante los últimos tiempos: desconocidos, desconfianza, desgracia, destrozada, deshonra, desconsuelo...

Pero entonces Edgar diluyó la bola de María con solo una palabra, otra palabra que empezaba por *des*, pero en la que *des* no era prefijo ni negaba. La palabra que terminaría de romper ese funesto rosario de *despalabras*:

–¡Despierta!

–Perdona, Edgar. Me des... pisté.

82

Días después, María esperó a que no hubiera ningún vecino al acecho para hablar con Edgar.

—Te traigo una llave —le dijo.

—Vale, la guardo en la garita —contestó el Edgar portero—. ¿A quién se la debo entregar?

—No, no. No es ese tipo de llave.

El Edgar escritor sonrió y extendió la mano esperando un pendrive con forma de llave que contuviera más cartas o más dibujos.

Pero lo que María depositó sobre su mano abierta fue un trozo de papel con una dirección de correo electrónico: yaizaramoss@gmail.com

—¿Y esto?

—Es una llave —insistió María.

Y lo era. La llave que abría la puerta a la vida de otra persona, a la vida de Yaiza.

—¿Es ella? —preguntó Edgar—. ¿La del comentario?

María asintió divertida. Le encantaba ver la cara de asombro de Edgar.

—Pero ¿cómo la has conseguido?

—No hay información que se resista a una chica lista —tomó el pelo María a Edgar, antes de acabar confesando—: Cuando dejó el comentario en el blog, Yaiza escribió su dirección de correo electrónico. Tú no podías verla, pero yo sí, porque soy la administradora del blog. Me puse en contacto con ella y estuvimos chateando. Creo que tú también deberías hacerlo.

—Bueno, yo pensaba inventarme el personaje. Quería que apareciera una chica que no tuviera nada que ver con vuestra historia, pero que estuviera conectada de algún modo.

—Edgar, hazme caso —insistió María—. Habla con Yaiza. No vas a tener que inventar nada. Solo tendrás que contar.

En ese momento llegó Clara. Edgar y María se callaron de golpe.

—Adiós, Edgar. No pierdas la llave —se despidió María—. ¡Hablamos!

De camino al portal dos, Clara preguntó a María:

–¿Qué tramas con Edgar?

–¿Quién? ¿Yo?

–Jorge y tú. Los dos. Os he visto.

–Ya lo verás. Es un secreto.

–¿No decías que estabas harta de secretos, Pinilla?

María sonrió. Le encantaba que Clara volviera a llamarla Pinilla.

Semanas más tarde, una mañana soleada de sábado, Edgar salió silbando al jardín. Estaba a punto de acabar un trabajo importante y se sentía feliz. Al pasar por el portal ocho, se encontró con Juan. Estaba regando.

–Qué bonita tienes la madreselva –comentó Edgar.

–¿La madreselva? –se extrañó Juan–. Es una pasionaria.

Edgar tomó nota.

Luego pasó discretamente ante el banco que se escondía entre los portales cinco y seis. María y Jorge estaban allí, besándose.

De pronto, Edgar se detuvo. Dio la vuelta y se quedó mirándolos desde una distancia prudencial.

Al principio, acostumbrado a hacer del «no mirar» una parte esencial de su trabajo, se sintió incómodo. Pero enseguida se dijo a sí mismo que estaba trabajando. Como un entomólogo que observa un insecto, él, que a fuerza de ser discreto se había vuelto casi invisible, tomaba nota de lo que veía.

–¿Dónde nos habíamos quedado? –dijo Jorge.

María sonrió y acarició con su mano derecha el pelo de Jorge. Luego se acercó a abrazarlo y empezó a acariciar su espalda. Jorge ladeó la cabeza y aproximó sus labios al cuello de María. Cerró los ojos. Olor a limón.

Ella también cerró los ojos. Olor a pomelo.

De pronto, ya no estaban ahí, en el banco. Estaban en medio de un campo nevado, completamente solos. El mundo era suyo: las crestas de las montañas, los lagos, los rayos de sol, las nubes, las agujas de los pinos, los copos de nieve... Cuando parecía que nada podría separarlos, se levantó un viento repentino y se apartaron el uno del otro, extrañados por aquel súbito vendaval capaz de hacer volar cualquier cometa.

–Va a llover –susurró María.

–¿Vienes a casa? –dijo Jorge.

María sonrió. Se dieron la mano y desaparecieron en el portal seis dejando tras de sí un rastro de pomelo y limón.

Edgar se sintió un privilegiado.

Me sentí un privilegiado. Los había visto casi por última vez, poco antes de que se volvieran invisibles. Porque cuando todos los que habían hablado, escrito y comentado sobre aquella escandalosa relación entre el hijo de Rebeca Lindon y la hija de Candela Brines leyeran esta novela, conocieran «su» historia, asistieran a esta campaña y supieran la verdad, Jorge y María volverían a ser un chico y una chica que se conocieron en la piscina. De ellos solo quedaría un rastro con aroma a pomelo y limón. Se volverían invisibles, como las cosas esenciales. Nadie perdería ni un segundo en mirarlos. Porque las historias nada escandalosas, las historias felices, son muy aburridas, salvo cuando las protagoniza uno mismo. Y ahora que has descubierto que Jorge y María se quieren, y que es muy aburrido mirarlos, ¿por qué no vives tu propia historia y te dedicas a algo que merezca la pena? Por ejemplo, querer a alguien.

EDGAR, TE ENVÍO UN DIBUJO PARA EL FINAL DE LA HISTORIA. ESPERO QUE
TE GUSTE.

Zaragoza, Valle de Lierp, Madrid, Benasque,
2010

BEGOÑA ORO

Begoña Oro nació en Zaragoza y trabajó durante años como editora de literatura infantil y juvenil. Ha escrito y traducido más de doscientos libros: infantiles, juveniles, libros de texto, de lecturas... Además, imparte charlas sobre lectura, edición o escritura.